KB075595

일본어 능력시험

JLPT N5

초급 일본어 문법24

일본 Reboot Japan 주식회사
일본어교사커리어 자료 제공

교재에 수록된 QR코드로 무료 강의 연결
일본어 전문 강사의 자세한 설명으로 일본어 문법 완전 정복
일본어 능력 시험 준비는 물론 초급 일본어 학습자에게도 가장 완벽한 문법 학습서

N5

예문 반복 듣기 영상으로 바로 가기

JLPT N5 초급 일본어 문법 24

발 행 | 2024년 06월 20일
저 자 | 최유리 (유리센 일본어)
펴낸이 | 한건희
펴낸곳 | 주식회사 부크크
출판사등록 | 2014.07.15(제2014-16호)
주 소 | 서울특별시 금천구 가산디지털1로 119 SK트윈타워 A동 305호
전 화 | 1670-8316
이메일 | info@bookk.co.kr

ISBN | 979-11-410-9049-4

www.bookk.co.kr

차례 및 저자 소개

최유리 (유리센 일본어)

일본어 전문 강사로 시원스쿨 일본어와 시원스쿨 한국어 대표 강사이며,
유튜브 채널 운영을 포함한 다양한 일본어와 한국어 교육 관련 활동을 하고 있다.

-출간 도서 및 번역서- (최신순)

1. 한권 한달 완성 일본어 말하기 시리즈 1-3 권
2. 마구로센세의 여행 일본어 마스터
3. 일본어 말하기 첫걸음 왕초보 탈출 프로젝트 시리즈 1-3 권
4. 마구로센세의 본격 일본어 스터디 시리즈 1-3 권 (총 6 권 예정)
5. 루스 베네딕트의 국화와 칼, 인터뷰와 일러스트로 고전 쉽게 읽기
6. 콧숨요괴와 입숨요괴 (번역)
7. 기초 일본어 말하기 훈련
8. 실전 일본어 말하기 훈련
9. The 바른 일본어

-그 밖에 다수 진행 중-

도서 출판 등 비즈니스 문의

yurisen@naver.com 또는 superyurisen@gmail.com

교재 활용법

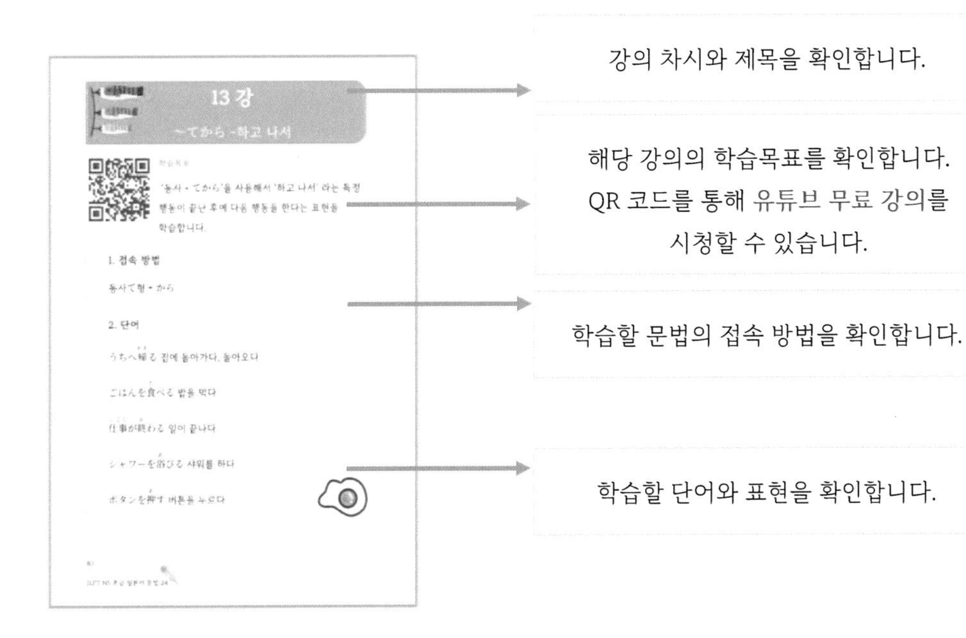

13 강
~てから -하고 나서

학습목표

'동사 + てから'을 사용해서 '하고 나서' 라는 특정 행동이 끝난 후에 다음 행동을 한다는 표현을 학습합니다.

1. 접속 방법

동사て형 + から

2. 단어

うちへ帰る 집에 돌아가다, 돌아오다

ごはんを食べる 밥을 먹다

仕事が終わる 일이 끝나다

シャワーを浴びる 샤워를 하다

ボタンを押す 버튼을 누르다

JLPT N5 초급 일본어 문법 24

강의 차시와 제목을 확인합니다.

해당 강의의 학습목표를 확인합니다.
QR 코드를 통해 유튜브 무료 강의를
시청할 수 있습니다.

학습할 문법의 접속 방법을 확인합니다.

학습할 단어와 표현을 확인합니다.

3. 예문

1) 手を洗ってから、ご飯を食べます。
손을 씻고 밥을 먹습니다.

手を洗ってから、ご飯を食べます。

2) 宿題が終わってから、ゲームをしましょう。
숙제가 끝나고 나서 게임을 해요.

3) チケットを買ってから、並んでください。
표를 사고 나서 줄 서주세요.

4) 夕飯を買ってから、うちへ帰りましょう。
저녁을 사고 집에 가요.

5) 予約をしてから、レストランに来てください。
예약을 하시고 레스토랑으로 오세요.

강의에서 다루는 예문과 해석을 확인할 수
있습니다. 빈칸을 활용해서 직접 써보면서
공부하세요.

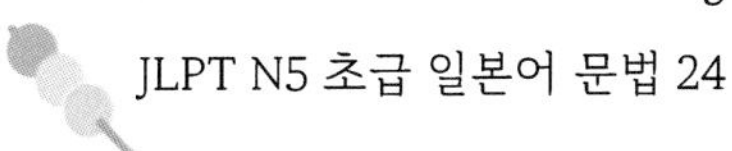

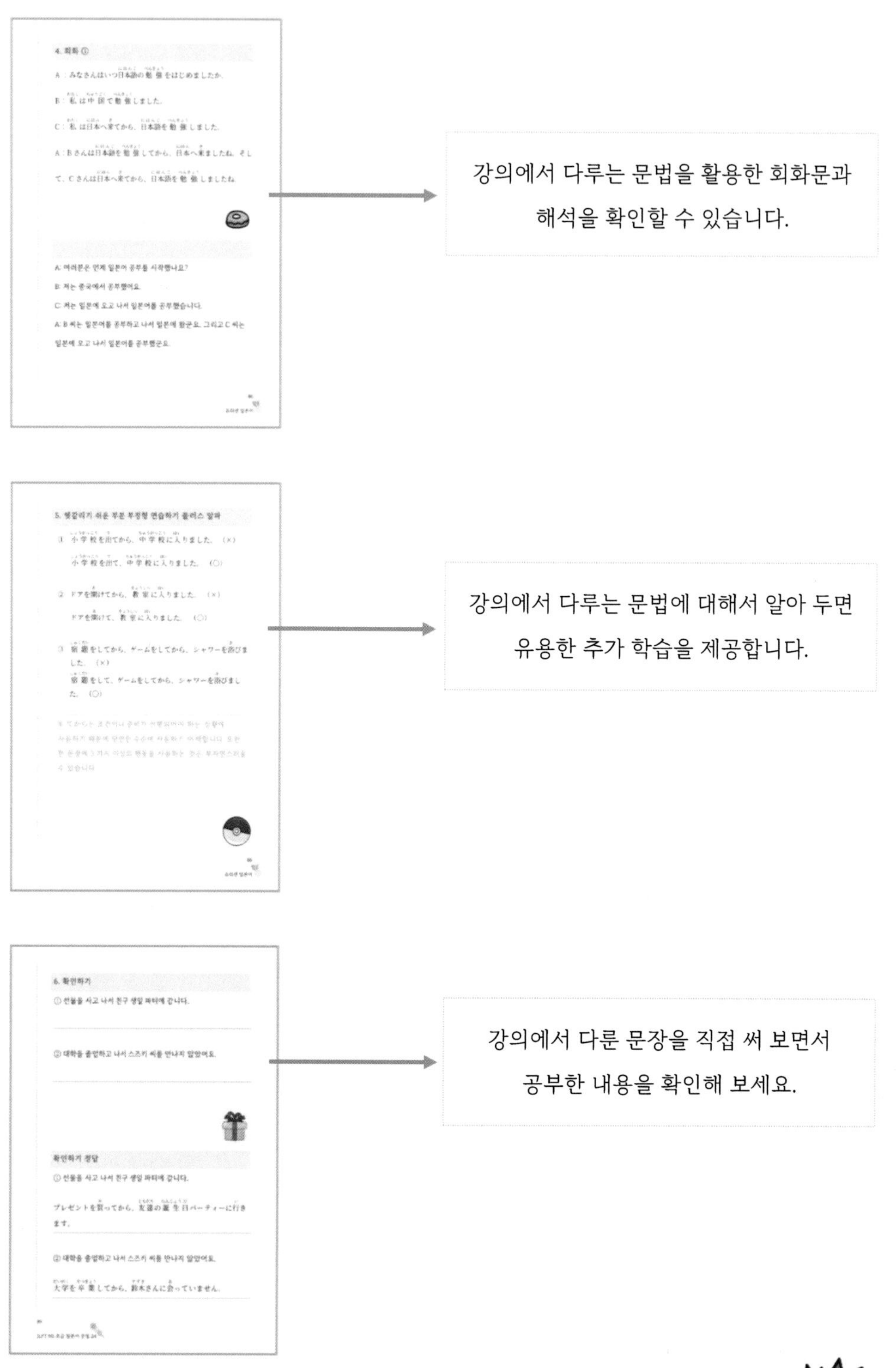

강의 자료 제공에 협조해 주신 Reboot Japan 주식회사 **徳岡 優樹**님에게 감사의 뜻을 전합니다.

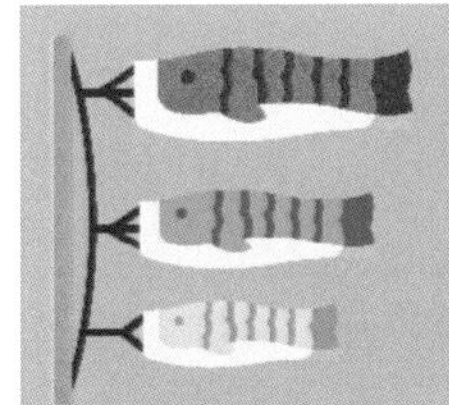

1강

～がいちばん -가 제일, 가장

학습목표

'명사 + がいちばん'을 사용해서 '명사가 가장' 이라는 최상급 표현을 학습합니다.

1. 접속 방법

명사 + がいちばん

2. 단어

てんぷら 튀김요리　　すきやき 스키야키　　すし 초밥

富士山(ふじさん) 후지산　　夏(なつ) 여름　　冬(ふゆ) 겨울

3. 예문

1) 日本料理(にほんりょうり)で、てんぷらがいちばん好(す)きです。
일본요리 중 튀김을 가장 좋아합니다.

日本料理で、てんぷらがいちばん好きです。

2) 日本料理(にほんりょうり)で、すきやきがいちばん有名(ゆうめい)です。

일본 요리 중 스키야키가 가장 유명합니다.

---

3) 日本料理(にほんりょうり)で、すしがいちばん人気(にんき)があります。

일본 요리 중 초밥이 가장 인기가 있습니다.

---

4) 日本(にほん)では、富士山(ふじさん)がいちばん高(たか)いです。

일본에서는 후지산이 가장 높습니다.

---

5) 世界(せかい)では、エベレストがいちばん高(たか)いです。

세계에서는 에베레스트가 가장 비쌉니다.

---

6) 世界(せかい)では、中国(ちゅうごく)がいちばん人口(じんこう)が多(おお)いです。

세계에서는 중국이 가장 인구가 많습니다.

---

7) 1年(ねん)で、春(はる)がいちばん好(す)きです。

1년중 봄을 가장 좋아합니다.

---

8) 1年(ねん)で、8月(がつ)がいちばん暑(あつ)いです。

1년 중 8월이 가장 덥습니다.

---

9) クラスで、Aさんがいちばん絵(え)が上手(じょうず)です。

반에서 A 씨가 가장 그림을 잘 그려요.

---

10) 学校(がっこう)で、Bさんがいちばん日本語(にほんご)が上手(じょうず)です。

학교에서 B 씨가 가장 일본어를 잘합니다.

4. 회화 ①

A：日本料理は好きですか。

B：はい、好きです。

A：てんぷらとすきやきとどちらが好きですか。

B：てんぷらのほうが好きです。

A：日本料理で、何がいちばん好きですか。

B：すしがいちばん好きです。

A: 일본음식을 좋아하나요?

B: 네, 좋아해요.

A: 템푸라와 스키야키와 어느 쪽을 좋아하나요?

B: 템푸라 쪽을 좋아해요.

A: 일본음식에서 무엇을 제일 좋아해요?

B: 스시를 제일 좋아해요.

회화 ②

A：日本(にほん)は1年(ねん)に4つの季節(きせつ)があります。春(はる)、夏(なつ)、秋(あき)、冬(ふゆ)です。いつがいちばん暑(あつ)いですか。

B：夏(なつ)がいちばん暑(あつ)いです。

A：それでは、いつがいちばん寒(さむ)いですか。

B：冬(ふゆ)がいちばん寒(さむ)いです。

A：私(わたし)は春がいちばん好(す)きです。Aさんは、いつがいちばん好(す)きですか？

B：私(わたし)は秋(あき)がいちばん好(す)きです。

A: 일본은 1 년에 4 개의 계절이 있습니다. 봄, 여름, 가을, 겨울입니다. 언제가 가장 더울까요?

B: 여름이 가장 덥습니다.

A: 그렇다면 언제가 가장 추울까요?

B: 겨울이 가장 춥습니다.

A: 저는 봄을 가장 좋아합니다. A 씨는 언제를 가장 좋아하나요?

B: 저는 가을을 가장 좋아해요.

5. 헷갈리기 쉬운 부분

① すきやきのほうがいちばん好(す)きです。X

すきやきがいちばん好(す)きです。O

② 富士山(ふじさん)のほうがいちばん高(たか)いです。X

富士山(ふじさん)がいちばん高(たか)いです。O

③ 春(はる)と夏(なつ)とどちらがいちばん好(す)きですか。X

春(はる)と夏(なつ)とどちらが好(す)きですか。O

④ 秋(あき)と冬(ふゆ)とどちらがいちばん寒(さむ)いですか。X

秋(あき)と冬(ふゆ)とどちらが寒(さむ)いですか。O

※ 최상급은 N_1のほう(N_1쪽이) 또는 N_1と N_2とどちらが

(N_1과 N_2와 어느 쪽이) 에는 사용하지 않습니다.

6. 확인하기

① 일본 요리 중 초밥이 가장 인기가 있습니다.

② 1 년중 봄을 가장 좋아합니다.

확인하기 정답

① 일본 요리 중 초밥이 가장 인기가 있습니다.

日本料理(にほんりょうり)で、すしがいちばん人気(にんき)があります。

② 1 년중 봄을 가장 좋아합니다.

1年(ねん)で、春(はる)がいちばん好(す)きです。

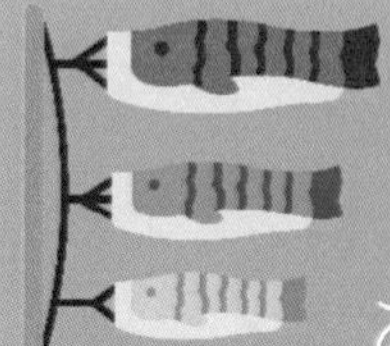

2강
あまり～ない 그다지~하지 않다

학습목표

'あまり～ない' 를 사용해서 정도가 높지 않다는 표현을 학습합니다.

1. 접속 방법

명사あまり + 동사(부정형)

あまり + 이형용사(부정형)

あまり + 나형용사(부정형)

2. 단어

- 동사-

食(た)べます 먹습니다　　飲(の)みます 마십니다

読(よ)みます 읽습니다　　勉強(べんきょう) します 공부합니다

行(い)きます 갑니다　　来(き)ます 옵니다

- 이형용사-

高(たか)いです 높습니다, 비쌉니다　　安(やす)いです 쌉니다, 저렴합니다

難(むずか)しいです 어렵습니다　　面白(おもしろ)いです 재미있습니다

暑(あつ)いです 덥습니다 　　寒(さむ)いです 춥습니다

- 나형용사-

きれいです 예쁩니다, 깨끗합니다 　　好(す)きです 좋아합니다

嫌(きら)いです 싫어합니다 　　上手(じょうず)です 잘합니다, 능숙합니다

得意(とくい)です 숙련되어 있습니다, 자신 있습니다

静(しず)かです 조용합니다

3. 예문

1) テレビはあまり見(み)ません。

텔레비전은 잘 안 봐요.

テレビはあまり見ません。

---

2) 昨日(きのう)はあまり勉強(べんきょう)しませんでした。

어제는 별로 공부하지 않았어요.

---

3) 最近(さいきん)あまり旅行(りょこう)に行(い)きません。

요즘 여행을 잘 안가요.

---

4) この時計(とけい)はあまり高(たか)くないです。

이 시계는 그다지 비싸지 않습니다.

---

5) 日本語(にほんご)はあまり難(むずか)しくないです。

일본어는 그다지 어렵지 않습니다.

---

6) この本はあまり面白(おもしろ)くないです。

이 책은 별로 재미없어요.

---

7) 今年(ことし)の夏(なつ)はあまり暑(あつ)くないです。

올 여름은 별로 덥지 않아요.

---

8) 私(わたし)の部屋(へや)はあまりきれいじゃありません。

제 방은 그다지 깨끗하지 않습니다.

---

9) お酒(さけ)はあまり好(す)きじゃありません。

술은 별로 좋아하지 않아요.

---

10) 日本語(にほんご)はあまり得意(とくい)じゃありません。

일본어는 그다지 잘하지 못합니다.

4. 회화 ①

A ：このパソコンは30万円(まんえん)です。高(たか)いですか。

B ：ちょっと高(たか)いですね。

A ：このパソコンは5万円(まんえん)です。高(たか)いですか。

B ：いいえ、高(たか)くないです。このパソコンはあまり高(たか)くないです。

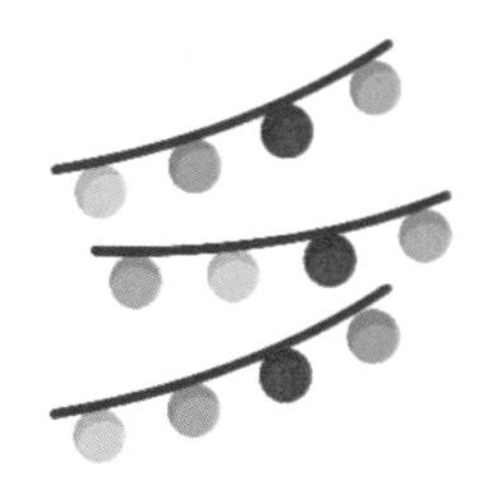

A: 이 컴퓨터는 30 만엔이에요. 비싼가요?

B: 좀 비싸네요.

A: 이 컴퓨터는 5 만엔이에요. 비싼가요?

B: 아니오, 비싸지 않아요. 이 컴퓨터는 별로 비싸지 않아요.

회화 ②

A：昨日(きのう)は暑(あつ)かったです。何度(なんど)でしたか？

B：36度(ど)でした。

A：今日(きょう)は何度(なんど)ですか。

B：28度(ど)です。

A：今日(きょう)はあまり暑(あつ)くないですね。

A: 어제는 더웠어요. 몇도였나요?

B: 36 도였어요.

A: 오늘은 몇도인가요?

B: 28 도예요.

A: 오늘은 그다지 덥지 않네요.

5. 부정형 연습하기

① 高(たか)いです - 高(たか)くないです - あまり高(たか)くないです

② 安(やす)いです - 安(やす)くないです - あまり安(やす)くないです

③ 好(す)きです - 好(す)きじゃありません - あまり好(す)きじゃありません

④ 上手(じょうず)です - 上手(じょうず)じゃありません - あまり上手(じょうず)じゃありまㄴせん

※ 이형용사는 어미를 삭제하고 くないです, くありません를 붙이고, 나형용사는 어미를 삭제하고 じゃないです, じゃありません를 붙입니다.

6. 확인하기

① 일본어는 그다지 어렵지 않습니다.

---

② 술은 별로 좋아하지 않아요.

확인하기 정답

① 일본어는 그다지 어렵지 않습니다.

日本語(にほんご)はあまり難(むずか)しくないです。

---

② 술은 별로 좋아하지 않아요.

お酒(さけ)はあまり好(す)きじゃありません。

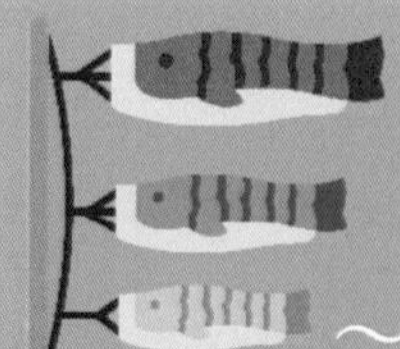

3강

~が欲しい ~가 갖고 싶다, 원하다

학습목표

'명사 + が欲しい' 를 사용해서 화자의 희망이나 요구를 전달하는 표현을 학습합니다.

1. 접속 방법

명사 + が欲しい

2. 단어

お金(かね) 돈　　時間(じかん) 시간　　友達(ともだち) 친구　　車(くるま) 차

休(やす)み 휴식, 휴일, 쉬는 시간, 방학, 휴가　　恋人(こいびと) 연인, 애인

3. 예문

1) もっとお金(かね)が欲(ほ)しいです。

돈이 더 필요해요.

もっとお金が欲しいです。

2) 毎日(まいにち)忙(いそが)しいので、もっと時間(じかん)が欲(ほ)しいです。

매일 바쁘기 때문에 시간이 더 필요해요.

---

3) 疲(つか)れているので、休(やす)みが欲(ほ)しいです。

피곤해서 휴가를 원해요.

---

4) お金(かね)があったら、車(くるま)が欲(ほ)しいです。

돈이 있으면 차를 갖고 싶어요.

---

5) 誕生日(たんじょうび)プレゼントに服(ふく)が欲(ほ)しいです。

생일 선물로 옷을 갖고 싶어요.

---

6) 友達(ともだち)が欲(ほ)しいです。

친구를 원해요.

---

7) 恋人(こいびと)が欲(ほ)しいです。

애인을 갖고 싶어요.

---

8) 車(くるま)と家(いえ)とどちらが欲(ほ)しいですか。

차와 집 중 어느 쪽을 원하세요?

---

9) クリスマスプレゼントに何(なに)が欲(ほ)しいですか。

크리스마스 선물로 무엇을 원하세요?

---

10) どんな服(ふく)が欲(ほ)しいですか。

어떤 옷을 원하세요?

4. 회화 ①

A：もうすぐクリスマスですね。クリスマスプレゼントに何(なに)が欲(ほ)しいですか。

B：服(ふく)が欲(ほ)しいです。Aさんは何(なに)が欲(ほ)しいですか。

A：靴(くつ)が欲(ほ)しいです。

B：どんな靴(くつ)が欲(ほ)しいですか。

A：白(しろ)い靴(くつ)が欲(ほ)しいです。

A: 이제 곧 크리스마스네요. 크리스마스 선물로 뭘 갖고 싶나요?

B: 옷을 갖고 싶어요. A 씨는 뭘 갖고 싶나요?

A: 신발을 갖고 싶어요.

B: 어떤 신발을 원해요?

A: 하얀 신발이 갖고 싶어요.

회화 ②

A ：Ｂさんは日本人(にほんじん)の友達(ともだち)がいますか。

B ：いいえ、まだいません。

A ：日本人(にほんじん)の友達(ともだち)が欲(ほ)しいですか。

B ：はい、日本人(にほんじん)の友達(ともだち)が欲(ほ)しいです。

A ：どんな友達(ともだち)が欲(ほ)しいですか。

B ：面白(おもしろ)い友達(ともだち)が欲(ほ)しいです。

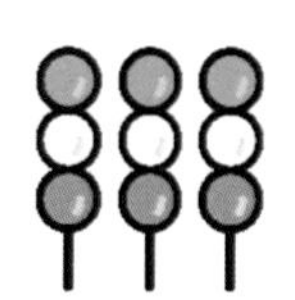

A: B 씨는 일본인 친구가 있나요?

B: 아니오, 아직 없어요.

A: 일본인 친구를 갖고 싶어요?

B: 네, 일본인 친구를 원해요.

A: 어떤 친구를 갖고 싶나요?

B: 재미있는 친구를 갖고 싶어요.

5. 헷갈리기 쉬운 부분

① 彼女(かのじょ)は 車(くるま) が欲(ほ)しいです。 X

② 彼(かれ)は友達(ともだち)が欲(ほ)しいです。 X

③ 私(わたし) は散歩(さんぽ)が欲(ほ)しいです。 X

④ 私(わたし) は 野球(やきゅう) が欲(ほ)しいです。X

※ が欲(ほ)しいです는 화자의 희망이나 요구를 전달하는 표현으로 제 3 자에게는 사용하지 않습니다. 또한 동작에 대해서도 사용하지 않습니다.

6. 확인하기

① 매일 바쁘기 때문에 시간이 더 필요해요.

---

② 차와 집 중 어느 쪽을 원하세요?

확인하기 정답

① 매일 바쁘기 때문에 시간이 더 필요해요.

毎日(まいにち)忙(いそが)しいので、もっと時間(じかん)が欲(ほ)しいです。

---

② 차와 집 중 어느 쪽을 원하세요?

車(くるま)と家(いえ)とどちらが欲(ほ)しいですか。

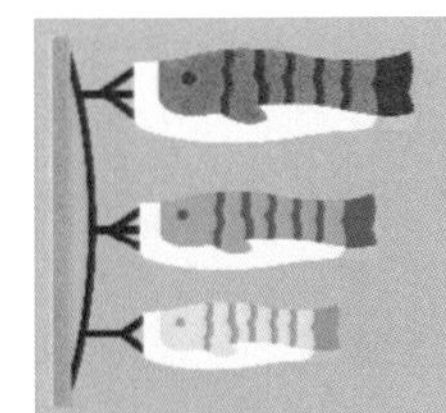

4강

～で ~으로

학습목표

'명사 + で'을 사용해서 수단과 방법을 나타내는 표현을 학습합니다.

1. 접속 방법

명사 + で

2. 단어

スプーン 스푼　　飛行機(ひこうき) 비행기　　タクシー 택시

スマホ 스마트폰　　パソコン 컴퓨터　　ペン 펜

3. 예문

1) 日本人(にほんじん)は箸(はし)でご飯(はん)を食(た)べます。
일본인은 젓가락으로 밥을 먹습니다.

日本人は箸でご飯を食べます。

2) スプーンでスープを飲(の)みます。

숟가락으로 수프를 마십니다.

---

3) フォークとナイフでステーキを食(た)べます。

포크와 나이프로 스테이크를 먹습니다.

---

4) 飛行機(ひこうき)で日本(にほん)に来(き)ました。

비행기로 일본에 왔습니다.

---

5) タクシーで病院(びょういん)に行(い)きました。

택시로 병원에 갔어요.

---

6) 自転車(じてんしゃ)で買(か)い物(もの)に行(い)きます。

자전거로 쇼핑하러(장보러) 갑니다.

---

7) インターネットで道(みち)を調(しら)べます。

인터넷으로 길을 알아봅니다.

---

8) パソコンで仕事(しごと)をします。

컴퓨터로 일을 합니다.

---

9) ペンでメモをします。

펜으로 메모를 합니다.

---

10) 鉛筆(えんぴつ)で書(か)いてください。

연필로 써주세요.

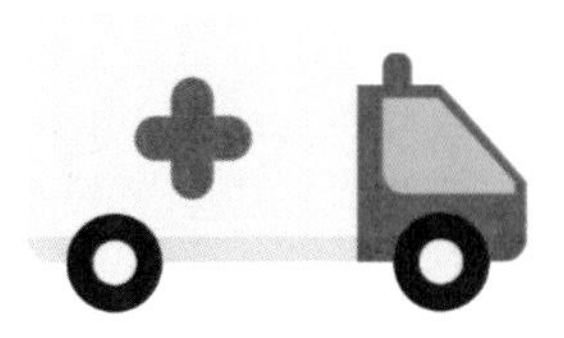

4. 회화 ①

A：日本人(にほんじん)は箸(はし)でご飯(はん)を食(た)べます。Bさんの国(くに)では、箸(はし)でご飯(はん)を食(た)べますか？

B：いいえ、箸(はし)で食(た)べません。

A：そうですか。では、なにでご飯(はん)を食(た)べますか？

B：スプーンで食(た)べます。

A: 일본인은 젓가락으로 밥을 먹어요. B 씨의 나라에서는 젓가락으로 밥을 먹나요?

B: 아니오, 젓가락으로 먹지 않아요.

A: 그래요? 그럼 뭘로 먹나요?

B: 스푼으로 먹어요.

회화 ②

A：もうすぐゴールデンウイークですね。Bさんはどこへ行(い)きますか。

B：北海道(ほっかいどう)へ旅行(りょこう)に行(い)きます。

A：北海道旅行(ほっかいどうりょこう)ですか、いいですね。なにで行(い)きますか。

B：飛行機(ひこうき)で行(い)きます。

A：北海道(ほっかいどう)で何(なに)をしますか。

B：レンタカーでドライブをします。

A: 곧 골든위크네요. B 씨는 어디에 가나요?

B: 홋카이도에 여행을 가요.

A: 홋카이도 여행이에요? 좋겠네요. 뭘로 가나요?

B: 비행기로 가요.

A: 홋카이도에서 무엇을 하나요?

B: 렌터카로 드라이브를 할 거예요.

5. 확인하기

① 포크와 나이프로 스테이크를 먹습니다.

② 인터넷으로 길을 알아봅니다.

확인하기 정답

① 포크와 나이프로 스테이크를 먹습니다.

フォークとナイフでステーキを食(た)べます。

② 인터넷으로 길을 알아봅니다.

インターネットで道(みち)を調(しら)べます。

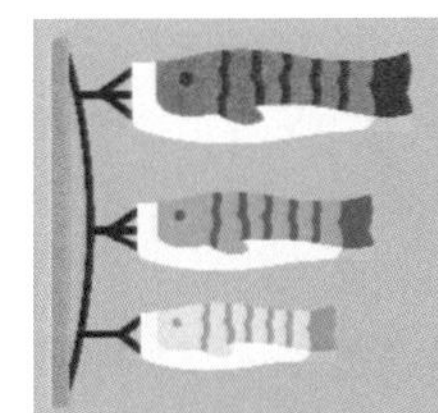

5강

～あとで ~ 후에, 다음에

학습목표

'명사 + がいちばん'을 사용해서 '명사가 가장'이라는 최상급 표현을 학습합니다.

1. 접속 방법

동사た형 + あとで

명사 + のあとで

2. 단어

-동사-

書(か)きます 쓉니다, 적습니다　　読(よ)みます 읽습니다

起(お)きます 일어납니다　　食(た)べます 먹습니다

来(き)ます 옵니다　　勉強(べんきょう)します 공부합니다

-명사 -

勉強(べんきょう) 공부　　仕事(しごと) 일, 직업　　ご飯(はん) 밥, 식사

映画(えいが) 영화　　テレビ 텔레비전　　料理(りょうり) 요리, 음식

3. 예문

1) 手紙を書いたあとで、切手を貼ります。
편지를 쓴 후에 우표를 붙입니다.

手紙を書いたあとで、切手を貼ります。

2) 本を読んだあとで、テレビを見ました。
책을 읽은 후에 텔레비전을 보았습니다.

3) 郵便局に行ったあとで、図書館に行こう。
우체국에 간 후에 도서관에 가자.

4) ご飯を食べたあとで、コーヒーを飲みましょう。
밥을 먹은 후에 커피를 마셔요.

5) 勉強したあとで、遊びます。
공부한 후에 놉니다.

6) 勉強(べんきょう)のあとで、友達(ともだち)に会(あ)いました。

공부한 후에 친구를 만났어요.

---

7) ご飯(はん)のあとで、薬(くすり)を飲(の)みます。

식사한 후에 약을 먹어요.

---

8) 映画(えいが)のあとで、レストランに行(い)きましょう。

영화 본 다음에 레스토랑에 가요.

---

9) テレビのあとで、お風呂(ふろ)に入りました。

텔레비전을 본 다음에 목욕을 했어요.

---

10) 料理(りょうり)のあとで、洗濯(せんたく)をします。

요리한 다음에 빨래를 합니다.

4. 회화 ①

A：レストランで、何(なに)をしますか。

B：料理(りょうり)を食(た)べます。

A：そのあとで、何(なに)をしますか？

B：料理(りょうり)を食(た)べたあとで、コーヒーを飲(の)みます。

A: 레스토랑에서 무엇을 하나요?

B: 음식을 먹어요.

A: 그 다음에 무엇을 하나요?

B: 음식을 먹은 다음에 커피를 마셔요.

회화 ②

医者：Aさん、今日(きょう)はどうしましたか？

A：お腹(なか)が痛(いた)いです。

医者：いつから痛(いた)いですか？

A：昨日(きのう)の夜(よる)からです。

医者：昨日(きのう)の夜(よる)、何(なに)を食(た)べましたか？

A：カレーとハンバーグと焼肉(やきにく)とアイスクリームを食(た)べました。

医者：食(た)べすぎですね。薬(くすり)を出(だ)します。白(しろ)い薬(くすり)は食事(しょくじ)の前(まえ)に、飲(の)んでください。青(あお)い薬(くすり)は食事(しょくじ)のあとで、飲(の)んでください。

A：ありがとうございます。

의사: A 씨 오늘 무슨 일로 오셨나요?

A: 배가 아파요.

의사: 언제부터 아픈건가요?

A: 어제 밤부터요.

의사: 어제 밤에 무엇을 먹었나요?

A: 카레와 함박스테이크와 고기구이와 아이스크림을 먹었어요.

의사: 과식이네요. 약을 처방할게요. 하얀 약은 식사 전에

복용하세요. 파란 약은 식사 후에 복용하세요.

A: 감사합니다.

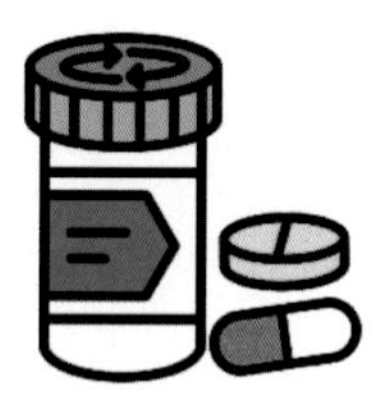

5. た형 연습하기

① 書(か)きます→書(か)いた→書(か)いたあとで

② 作(つく)ります→作(つく)った→作(つく)ったあとで

③ 起(お)きます→起(お)きた→起(お)きたあとで

④ 寝(ね)ます→寝(ね)た→寝(ね)たあとで

⑤ します→した→したあとで

⑥ 来(き)ます→来(き)た→来(き)たあとで

6. 확인하기

① 책을 읽은 후에 텔레비전을 보았습니다.

② 식사한 후에 약을 먹어요.

확인하기 정답

① 책을 읽은 후에 텔레비전을 보았습니다.

本(ほん)を読(よ)んだあとで、テレビを見(み)ました。

② 식사한 후에 약을 먹어요.

ご飯(はん)のあとで、薬(くすり)を飲(の)みます。

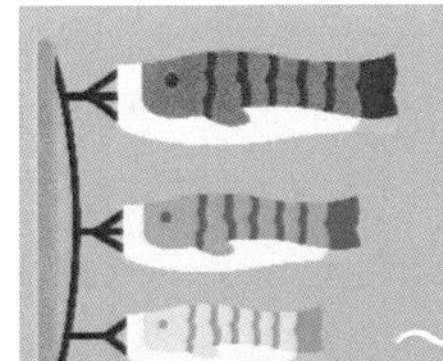

6강

～て/ないで ~하고/ ~하지 않고

학습목표

'～て/ないで'을 사용해서 특정 행동을 하고 다음 행동을 하거나, 특정 행동을 하지 않고 다음 행동을 한다는 표현을 학습합니다.

1. 접속 방법

동사て형

동사ない형 + で

2. 단어

食(た)べます 먹습니다　　入(い)れます 넣습니다

持(も)ちます 소지합니다　　消(け)します 끕니다

行(い)きます 갑니다

3. 예문

1) 砂糖(さとう)を入(い)れてコーヒーを飲(の)みます。

설탕을 넣고 커피를 마십니다.

砂糖を入れてコーヒーを飲みます。

---

2) 砂糖(さとう)を入(い)れないでコーヒーを飲(の)みます。

설탕을 넣지 않고 커피를 마셔요.

---

3) 傘(かさ)を持(も)って出(で)かけます。

우산을 가지고 나갈게요.

---

4) 電気(でんき)を消(け)して寝(ね)ます。

불을 끄고 잡니다.

---

5) 辞書(じしょ)を使(つか)わないで本(ほん)を読(よ)みます。

사전을 사용하지 않고 책을 읽습니다.

---

6) 休(やす)まないで 働(はたら)きます。

쉬지 않고 일해요.

---

7) 昨日(きのう)寝(ね)ないで 勉強(べんきょう)しました。

어제 안자고 공부했어요.

---

8) 電車(でんしゃ)に乗(の)らないで歩(ある)いて行(い)きます。

전철을 타지 않고 걸어갑니다.

---

9) うちへ帰(かえ)らないで友達(ともだち)と会(あ)います。

집에 돌아가지 않고 친구들과 만날 거예요.

---

10) どこも行(い)かないでうちにいました。

아무데도 안 가고 집에 있었어요.

4. 회화 ①

A：Bさんはコーヒーに砂糖(さとう)を入(い)れますか。

B：はい、入(い)れます。

C：私(わたし)は入(い)れません。

A：そうですか。Bさんは砂糖(さとう)を入(い)れて飲(の)みますね。そして、Cさんは砂糖(さとう)を入(い)れないで飲(の)みますね。

A: B 씨는 커피에 설탕을 넣나요?

B: 네, 넣어요.

C: 저는 넣지 않아요.

A: 그래요? B 씨는 설탕을 넣어서 마시네요. 그리고 C 씨는 설탕을 넣지 않고 마시네요.

회화 ②

A：試験(しけん)の時(とき)、ノートが見(み)られますか。

B：いいえ、見(み)られません。ノートを見(み)ないで書(か)きます。

A: 시험볼 때, 노트를 볼 수 있나요?

B: 아니오, 볼 수 없어요. 노트를 보지 않고 쓸 겁니다.

5. 문장 연습하기

① エアコンをつけて寝(ね)ますか。

② 朝(あさ)ごはんを食(た)べて出(で)かけますか。

③ コーヒーにミルクを入(い)れて飲(の)みますか。

④ 靴下(くつした)を履(は)いて寝(ね)ますか。

⑤ Aさんの国(くに)では、スーツを着(き)て会社(がいしゃ)へ行(い)きますか。

⑥ 辞書(じしょ)を見(み)ないで、宿題(しゅくだい)ができますか。

⑦ 寝(ね)ないでしたいことは何(なん)ですか。

6. 확인하기

① 불을 끄고 잡니다.

② 집에 돌아가지 않고 친구들과 만날 거예요.

확인하기 정답

① 불을 끄고 잡니다.

電気(でんき)を消(け)して寝(ね)ます。

② 집에 돌아가지 않고 친구들과 만날 거예요.

うちへ帰(かえ)らないで友達(ともだち)と会(あ)います。

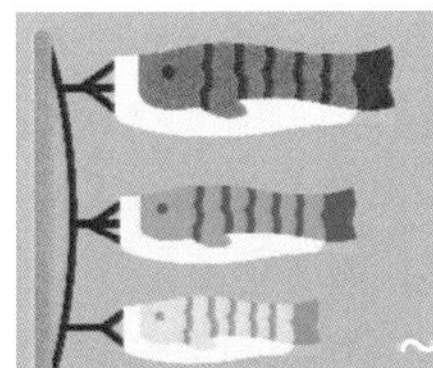

7강
~てもいいですか ~해도 될까요

학습목표

'동사 + てもいいですか'을 사용해서 상대에게 허가를 구할 때 사용하는 표현을 학습합니다.

1. 접속 방법

동사て형 + もいいですか

2. 단어

行(い)きます 갑니다　借(か)ります 빌립니다

使(つか)います 사용합니다　撮(と)ります 촬영합니다

入(はい)ります 들어갑니다　見(み)ます 봅니다

つけます 켭니다　消(け)します 끕니다　開(あ)けます 엽니다

閉(し)めます 닫습니다

3. 예문

1) トイレに行(い)ってもいいですか。

화장실에 가도 될까요?

トイレに行ってもいいですか。

2) ペンを借(か)りてもいいですか。

펜 좀 빌릴 수 있을까요?

3) 試験(しけん)で辞書(じしょ)を使(つか)ってもいいですか。

시험에서 사전을 사용해도 됩니까?

4) 部屋(へや)に入(はい)ってもいいですか。

방에 들어가도 될까요?

5) ここでテレビを見(み)てもいいですか。

여기서 티비를 봐도 될까요?

6) エアコンをつけてもいいですか。

에어컨을 켜도 될까요?

---

7) 窓(まど)を開(あ)けてもいいですか。

창문을 열어도 될까요?

---

8) エアコンを消(け)してもいいですか。

에어컨을 꺼도 될까요?

---

9) 窓(まど)を閉(し)めてもいいですか。

창문을 닫아도 될까요?

---

10) その本(ほん)を見(み)てもいいですか。

그 책을 봐도 될까요?

4. 회화 ①

A：先生(せんせい)、トイレに行(い)ってもいいですか。

B：はい、いいですよ。

A: 선생님, 화장실에 가도 될까요?

B: 네, 괜찮아요.

회화 ②

A：あ、Bさん、こんにちは。

B：Aさん、こんにちは。ああ、今日(きょう)は暑(あつ)いですね。エアコンをつけてもいいですか。

A：すみません、ちょっと寒(さむ)いですから…。

B：ああ、そうですか。じゃあ大丈夫(だいじょうぶ)です。

A：すみません。

A: 아, B 씨 안녕하세요.

B: A 씨 안녕하세요. 아, 오늘은 덥네요. 에어컨을 켜도 될까요?

A: 죄송해요, 좀 추워서요…

B: 아, 그래요? 그럼 괜찮아요.

A: 미안해요.

5. 플러스 알파

「借りる」와「貸す」

① 借りてもいいですか。 내가 빌리는 상황

② 貸してもいいですか。 내가 타인에게 빌려주는 상황

「見る」와「見せる」

① 見てもいいですか。내가 보는 상황

② 見せてもいいですか。 타인이 보는 상황

6. 확인하기

① 에어컨을 켜도 될까요?

② 그 책을 봐도 될까요?

확인하기 정답

① 에어컨을 켜도 될까요?

エアコンをつけてもいいですか。

② 그 책을 봐도 될까요?

その本(ほん)を見(み)てもいいですか。

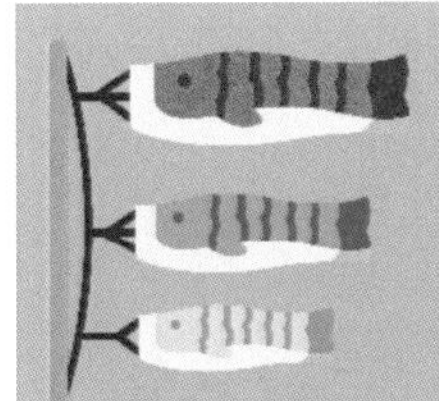

8 강

～だけ ~뿐, 만

학습목표

'～だけ'를 사용해서 '~뿐, 만' 이라는 범위나 수량을 한정하는 표현을 학습합니다.

1. 접속 방법

명사 + だけ

수량조수사 + だけ

2. 단어

日曜日(にちようび) 일요일　　**水**(みず) 물　　**ベジタリアン** 채식주의자

野菜(やさい) 채소　　**たまご** 달걀

3. 예문

1) 昨日(きのう)は20分(ぷん)だけ日本語(にほんご)を勉強(べんきょう)しました。

어제는 20 분만 일본어를 공부했습니다.

昨日は20分だけ日本語を勉強しました。

2) 1時間(じかん)だけ運動(うんどう)します。

1 시간만 운동할게요.

---

3) 2時間(じかん)だけアルバイトをしました。

2 시간만 아르바이트를 했어요.

---

4) 休(やす)みは日曜日(にちようび)だけです。

쉬는 날은 일요일뿐입니다.

---

5) 財布(さいふ)の中(なか)に 100円(えん)だけあります。

지갑 안에 100 엔만 있습니다.

---

6) 夜(よる)は何(なに)も食(た)べません。水(みず)だけ飲(の)みます。

밤에는 아무것도 먹지 않아요. 물만 마셔요.

---

7) 私(わたし) はベジタリアンですから、野菜(やさい)だけ食(た)べます。

저는 채식주의자라서 야채만 먹어요.

---

8) たまごだけ買いました。
계란만 샀어요.

9) このクラスで日本人は 私 だけです。
이 반에서 일본인은 저뿐입니다.

10) あなただけが好きです。
당신만 좋아합니다.

4. 회화 ①

A： 私(わたし)はとても忙(いそが)しいです。それで、休(やす)みは日曜日(にちようび)だけです。

B：それは大変(たいへん)ですね。

A: 저는 매우 바빠요. 그래서 쉬는 날이 일요일뿐이에요.

B: 그거 참 힘들겠네요.

회화 ②

A ：朝(あさ)は何(なに)を食(た)べますか。

B：朝(あさ)は何(なに)も食(た)べません。コーヒーだけ飲(の)みます。

A： え！それだけ。

A: 아침은 무엇을 먹나요?

B: 아침은 아무것도 먹지 않아요. 커피만 마십니다.

A: 헉, 그것만…

5. 플러스 알파

① 日本人(にほんじん)は誰(だれ)ですか？…日本人(にほんじん)は 私(わたし) です。

② 日本人(にほんじん)は何人(なんにん)いますか？…日本人(にほんじん)は 私(わたし) だけです。

6. 확인하기

① 밤에는 아무것도 먹지 않아요. 물만 마셔요.

---

② 이 반에서 일본인은 저뿐입니다.

확인하기 정답

① 밤에는 아무것도 먹지 않아요. 물만 마셔요.

夜(よる)は何(なに)も食(た)べません。水(みず)だけ飲(の)みます。

---

② 이 반에서 일본인은 저뿐입니다.

このクラスで日本人(にほんじん)は 私(わたし) だけです。

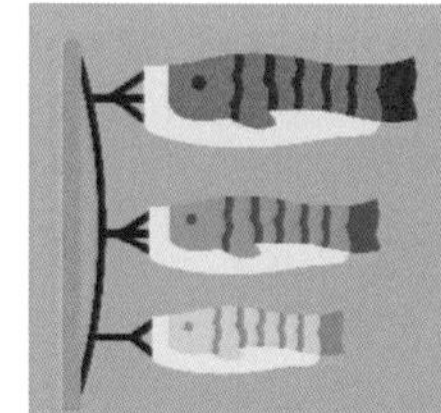

9강

～ながら -하면서

학습목표

'동사 + ながら'을 사용해서 '동작하면서' 라는 동작이 동시에 이루어진다는 표현을 학습합니다.

1. 접속 방법

동사ます형 + ながら

2. 단어

テレビを見(み)ます 티브이를 봅니다

コーヒーを飲(の)みます 커피를 마십니다

歩(ある)きます 걷습니다　　　　働(はたら)きます 일합니다

友達(ともだち)と話(はな)します 친구와 이야기 합니다

3. 예문

1) 歩きながら話します。

걸으면서 얘기할게요.

歩きながら話します。

2) テレビを見ながら朝ごはんを食べます。

텔레비전을 보면서 아침밥을 먹습니다.

3) 音楽を聞きながら部屋を掃除します。

음악을 들으면서 방을 청소합니다.

4) ラジオを聞きながら運転します。

라디오를 들으면서 운전합니다.

5) 友達と話しながら食事します。

친구들과 이야기하면서 식사해요.

6) コーヒーを飲(の)みながら新聞(しんぶん)を読(よ)みます。

커피를 마시면서 신문을 읽습니다.

---

7) メモしながら聞(き)いてください。

메모하면서 들어주세요.

---

8) お茶(ちゃ)を飲(の)みながら 話(はなし) しませんか。

차 마시면서 얘기하지 않을래요?

---

9) 歩(ある)きながらたばこを吸(す)ってはいけません。

걸으면서 담배를 피우면 안 돼요.

---

10) 働(はたら) きながら大学(だいがく)で 勉 強(べんきょう) しています。

일하면서 대학에서 공부하고 있어요.

4. 회화 ①

A：私は大学で勉強しています。でも、物価が高いですから、アルバイトもしています。

B：アルバイトしながら大学で勉強していますか。えらい！

A: 저는 대학에서 공부하고 있습니다. 하지만 물가가 비싸기 때문에 아르바이트도 하고 있어요.

B: 아르바이트하면서 대학에서 공부하고 있나요? 대견하네요.

회화 ②

A：朝は何をしますか。

B：朝は時間がありませんから、ニュースを見ながら朝ごはんを食べます。Aさんは？

A：私は音楽を聞きながらジョギングをします。

A: 아침에는 무엇을 하나요?

B: 아침에는 시간이 없기 때문에, 뉴스를 보면서 아침밥을 먹어요. A 씨는요?

A: 저는 음악을 들으면서 조깅을 해요.

5. 헷갈리기 쉬운 부분

① 田中(たなか)さんは話(はな)しながら、私(わたし)は勉強(べんきょう)します。X

② 本(ほん)を読(よ)みながら、辞書(じしょ)で調(しら)べます。X

③ 砂糖(さとう)を入(い)れながらコーヒーを飲(の)みます。X

※ ながら를 사용하는 문장은 주어를 복수로 사용할 수 없고, 중요 동작을 문장 뒤쪽에 두는 것이 자연스럽습니다.

6. 확인하기

① 친구들과 이야기하면서 식사해요.

---

② 메모하면서 들어주세요.

확인하기 정답

① 친구들과 이야기하면서 식사해요.

友達(ともだち)と話(はな)しながら食事(しょくじ)します。

---

② 메모하면서 들어주세요.

メモしながら聞(き)いてください。

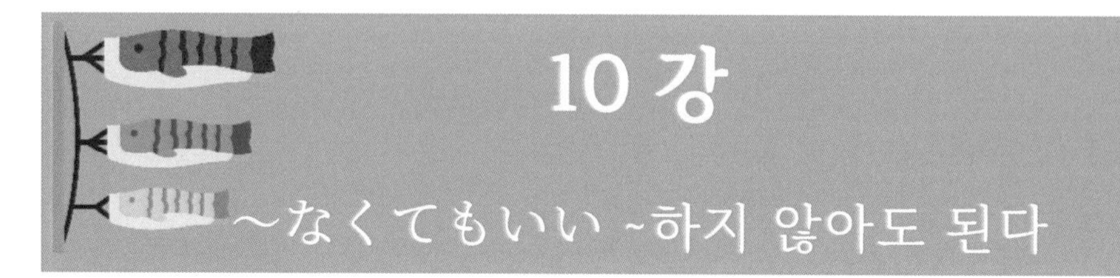

10 강

~なくてもいい ~하지 않아도 된다

학습목표

'동사 + なくてもいい'를 사용해서 '동작하지 않아도 된다' 라는 표현을 학습합니다.

1. 접속 방법

동사ない형 + なくてもいい

2. 단어

名前(なまえ)を書(か)きます 이름을 씁니다

土曜日(どようび)も 働(はたら)きます 토요일도 일합니다

本(ほん)を返(かえ)します 책을 돌려줍니다

靴(くつ)を脱(ぬ)ぎます 신발을 벗습니다

明日(あした)も来(き)ます 내일도 옵니다

3. 예문

1) お金(かね)を払(はら)わなくてもいいです。

돈을 내지 않아도 됩니다.

お金を払わなくてもいいです。

2) 急(いそ)がなくてもいいです。

서두르지 않으셔도 됩니다.

3) 明日(あした)は学校(がっこう)へ行(い)かなくてもいいです。

내일은 학교에 가지 않아도 됩니다.

4) 住所(じゅうしょ)は書(か)かなくてもいいです。

주소는 쓰지 않으셔도 됩니다.

5) このペンは返(かえ)さなくてもいいです。

이 펜은 돌려주지 않아도 됩니다.

6) 靴(くつ)を脱(ぬ)がなくてもいいです。

신발을 벗지 않으셔도 됩니다.

---

7) 電気(でんき)をつけなくてもいいです。

불을 켜지 않아도 돼요.

---

8) 月曜日(げつようび)はレポートを出(だ)さなくてもいいです。

월요일은 리포트를 내지 않아도 됩니다.

---

9) この本(ほん)を持(も)って来(こ)なくてもいいです。

이 책을 가져오지 않으셔도 됩니다.

---

10) 日本語(にほんご)で話(はな)さなくてもいいです。

일본어로 말하지 않아도 됩니다.

4. 회화 ①

A：月曜日(げつようび)から金曜日(きんようび)、学校(がっこう)へ来(こ)なければなりません。土曜日(どようび)も学校(がっこう)へ来(き)ますか。

B：いいえ。土曜日(どようび)は学校(がっこう)へ来(こ)なくてもいいです。

A：どうして土曜日(どようび)は来(こ)なくてもいいですか。

B：休(やす)みですから。

A: 월요일부터 금요일, 학교에 오지 않으면 안됩니다. 토요일도 학교에 오나요?

B: 아니오, 토요일은 학교에 오지 않아도 됩니다.

A: 어째서 토요일은 오지 않아도 되나요?

B: 쉬는 날이니까요.

회화 ②

A：日曜日は学校がありませんが、早く起きなければなりませんか。

B：いいえ。早く起きなくてもいいです。

A: 일요일은 학교가 없는데, 일찍 일어나지 않으면 안되나요?

B: 아니오, 일찍 일어나지 않아도 됩니다.

5. 답변 연습하기

① A：明日も来なければなりませんか。

B：はい、来なければなりません。/ いいえ、来なくてもいいです。

② A：書かなければなりませんか。

B：はい、書かなければなりません。/ いいえ、書かなくてもいいです。

6. 확인하기

① 이 펜은 돌려주지 않아도 됩니다.

② 일본어로 말하지 않아도 됩니다.

확인하기 정답

① 이 펜은 돌려주지 않아도 됩니다.

このペンは返(かえ)さなくてもいいです。

② 일본어로 말하지 않아도 됩니다.

日本語(にほんご)で話(はな)さなくてもいいです。

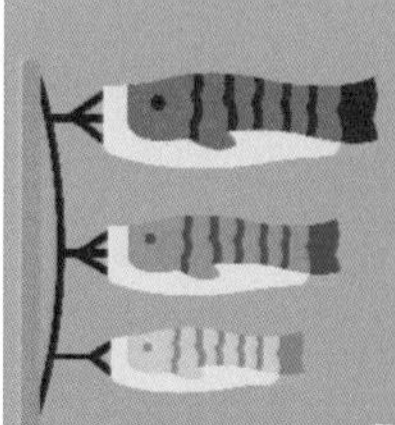

11강

～なければならない

~하지 않으면 안 된다, 해야만 한다

학습목표

'동사 + なければならない'을 사용해서 '하지 않으면 안 된다' 라는 의무, 필요의 표현을 학습합니다.

1. 접속 방법

동사ない형 + なければならない

2. 단어

飲(の)む 마시다, 복용하다　　見(み)る 보다

勉強(べんきょう)する 공부하다　　書(か)く 쓰다, 적다　　行(い)く 가다

3. 예문

1) 日本語(にほんご)で話(はな)さなければなりません。
일본어로 말해야 합니다.

日本語で話さなければなりません。

2) お金(かね)を払(はら)わなければなりません。

돈을 지불해야 합니다.

---

3) 毎日(まいにち)勉強(べんきょう)しなければなりません。

매일 공부해야 해요.

---

4) 薬(くすり)を飲(の)まなければなりません。

약을 먹어야 해요.

---

5) 明日(あした)病院(びょういん)へ行(い)かなければなりません。

내일 병원에 가야 해요.

---

6) 鉛筆(えんぴつ)で書(か)かなければなりません。

연필로 써야 해요.

---

7) 本(ほん)を返(かえ)さなければなりません。

책을 반납해야 합니다.

---

8) 靴(くつ)を脱(ぬ)がなければなりません。

신발을 벗어야 해요.

9) レポートを出(だ)さなければなりません。

리포트를 내야 합니다.

10) 残業(ざんぎょう)しなければなりません。

야근해야 해요.

4. 회화 ①

A：空港(くうこう)でパスポートを見(み)せなくてもいいですか。

B：絶対(ぜったい)だめです。パスポートを見(み)せなければなりません。

A: 공항에서 여권을 보여주지 않아도 되나요?

B: 절대 안 돼요. 여권을 보여줘야만 합니다.

회화 ②

A：テストはボールペンで書(か)いてもいいですか。

B：いいえ、ボールペンで書(か)いてはいけません。鉛筆(えんぴつ)で書(か)かなければなりません。

A：そうですか。ボールペンはだめですか…。

A: 테스트는 볼펜으로 적어도 되나요?

B: 아니오, 볼펜으로 쓰면 안 됩니다. 연필로 써야만 해요.

A: 그런가요. 볼펜은 안 되나요…

5. 문형 연습하기

① 薬(くすり)＋飲(の)む　　薬(くすり)を飲(の)まなければなりません。

② 宿題(しゅくだい)＋する　　宿題(しゅくだい)をしなければなりません。

③ 靴(くつ)＋脱(ぬ)ぐ　　靴(くつ)を脱(ぬ)がなければなりません。

6. 확인하기

① 돈을 지불해야 합니다.

② 야근해야 해요.

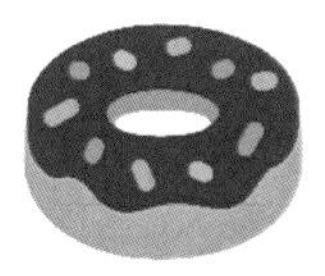

확인하기 정답

① 돈을 지불해야 합니다.

お金(かね)を払(はら)わなければなりません。

② 야근해야 해요.

残業(ざんぎょう)しなければなりません。

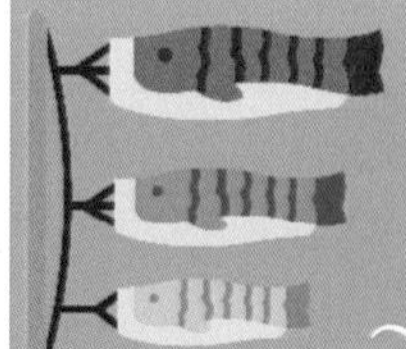

12 강

～ないでください ~하지 마세요

학습목표

‘동사 + ないでください’를 사용해서 ‘동작하지 마세요’ 라는 행동을 금지하거나 상대를 배려, 걱정하는 표현을 학습합니다.

1. 접속 방법

동사ない형 + でください

2. 단어

飲(の)みます 마십니다　　見(み)ます 봅니다

話(はな)します 이야기합니다

触(さわ)ります 만집니다, 건드립니다　　心配(しんぱい)します 걱정합니다

3. 예문

1) 英語(えいご)で話(はな)さないでください。

영어로 말하지 마세요.

英語で話さないでください。

2) 辞書(じしょ)を見(み)ないでください。

사전을 보지 마세요.

3) 飲(の)み物(もの)を飲(の)まないでください。

음료를 마시지 마세요.

4) 絵(え)に触(さわ)らないでください。

그림을 만지지 마세요.

5) 写真(しゃしん)を撮(と)らないでください。

사진 찍지 마세요.

6) たばこを吸(す)わないでください。

담배를 피우지 마세요.

7) 今日(きょう)はシャワーを浴(あ)びないでください。

오늘은 샤워를 하지 마세요.

8) ボールペンで書かないでください。

볼펜으로 쓰지 마세요.

---

9) 心配しないでください。

걱정 마세요.

---

10) かばんを忘れないでください。

가방을 잊지 마세요.

4. 회화 ①

A：試験(しけん)の時(とき)、辞書(じしょ)を見(み)てもいいですか？

B：だめです。辞書(じしょ)を見(み)ないでください。それから、隣(となり)の人(ひと)と話(はな)さないでください。

A：はい、わかりました。

A: 시험볼 때, 사전을 봐도 되나요?

B: 안 됩니다. 사전을 보지 마세요. 그리고 옆사람과 이야기하지 마세요.

A: 네, 알겠습니다.

회화 ②

A：授業中(じゅぎょうちゅう)、韓国語(かんこくご)を使(つか)わないでください。

B：休(やす)みの時間(じかん)にはいいですか。

A：休(やす)みの時間(じかん)にはいいですよ。

A: 수업중에 한국어를 사용하지 마세요.

B: 쉬는 시간에는 괜찮은가요?

A: 쉬는 시간에는 괜찮아요.

5. ない형 연습하기

Ⅰ 그룹

いきます→いかない

帰(かえ)ります→帰(かえ)らない

急(いそ)ぎます→急(いそ)がない

吸(す)います→吸(す)わない

読(よ)みます→読(よ)まない

待(ま)ちます→待(ま)たない

呼(よ)びます→呼(よ)ばない

Ⅱ 그룹

たべます→たべない

起(お)きます→起(お)きない

Ⅲ 그룹

します→しない

来(き)ます→来(こ)ない

6. 확인하기

① 사진 찍지 마세요.

② 걱정 마세요.

확인하기 정답

① 사진 찍지 마세요.

写真(しゃしん)を撮(と)らないでください。

② 걱정 마세요.

心配(しんぱい)しないでください。

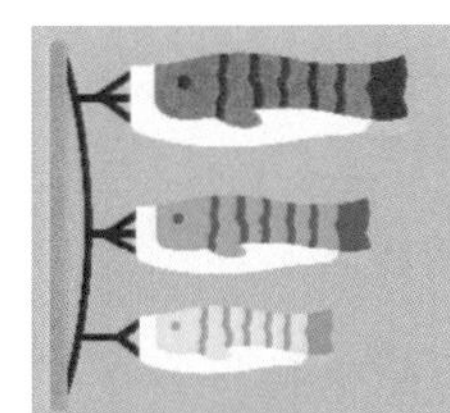

13 강

～てから ~하고 나서

학습목표

'동사 + てから'을 사용해서 '하고 나서' 라는 특정 행동이 끝난 후에 다음 행동을 한다는 표현을 학습합니다.

1. 접속 방법

동사て형 + から

2. 단어

うちへ帰(かえ)る 집에 돌아가다, 돌아오다

ごはんを食(た)べる 밥을 먹다

仕事(しごと)が終(お)わる 일이 끝나다

シャワーを浴(あ)びる 샤워를 하다

ボタンを押(お)す 버튼을 누르다

3. 예문

1) 手を洗ってから、ご飯を食べます。

손을 씻고 밥을 먹습니다.

手を洗ってから、ご飯を食べます。

2) 宿 題が終わってから、ゲームをしましょう。

숙제가 끝나고 나서 게임을 해요.

3) チケットを買ってから、並んでください。

표를 사고 나서 줄 서주세요.

4) 夕飯を買ってから、うちへ帰りましょう。

저녁을 사고 집에 가요.

5) 予約をしてから、レストランに来てください。

예약을 하시고 레스토랑으로 오세요.

6) プレゼントを買(か)ってから、友達(ともだち)の誕生日(たんじょうび)パーティーに行(い)きます。

선물을 사고 나서 친구 생일 파티에 갑니다.

---

7) 大学(だいがく)に入(はい)ってから、日本語(にほんご)を勉強(べんきょう)しました。

대학에 들어와서 일본어를 공부했습니다.

---

8) 日本語(にほんご)を勉強(べんきょう)してから、留学(りゅうがく)に行(い)きます。

일본어를 공부하고 유학을 갑니다.

---

9) 大学(だいがく)を卒業(そつぎょう)してから、鈴木(すずき)さんに会(あ)っていません。

대학을 졸업하고 나서 스즈키 씨를 만나지 않았어요.

---

10) うちに帰(かえ)ってから、すぐに寝(ね)ました。

집에 와서 바로 잤어요.

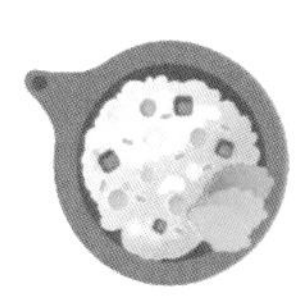

4. 회화 ①

A：みなさんはいつ日本語(にほんご)の勉強(べんきょう)をはじめましたか。

B：私(わたし)は中国(ちゅうごく)で勉強(べんきょう)しました。

C：私(わたし)は日本(にほん)へ来(き)てから、日本語(にほんご)を勉強(べんきょう)しました。

A：Bさんは日本語(にほんご)を勉強(べんきょう)してから、日本(にほん)へ来(き)ましたね。そして、Cさんは日本(にほん)へ来(き)てから、日本語(にほんご)を勉強(べんきょう)しましたね。

A: 여러분은 언제 일본어 공부를 시작했나요?

B: 저는 중국에서 공부했어요.

C: 저는 일본에 오고 나서 일본어를 공부했습니다.

A: B 씨는 일본어를 공부하고 나서 일본에 왔군요. 그리고 C 씨는 일본에 오고 나서 일본어를 공부했군요.

회화 ②

A：毎朝(まいあさ)、何(なに)をしてから教室(きょうしつ)に入(はい)りますか。

B：消毒(しょうどく)します。それから教室(きょうしつ)に入(はい)ります。

A：そうですね。消毒(しょうどく)してから、教室(きょうしつ)に入(はい)ります。

A: 매일아침 무엇을 하고 나서 교실에 들어옵니까?

B: 소독을 합니다. 그리고나서 교실에 들어옵니다.

A: 그렇죠. 소독을 하고 나서 교실에 들어옵니다.

5. 헷갈리기 쉬운 부분

① 小学校(しょうがっこう)を出(で)てから、中学校(ちゅうがっこう)に入(はい)りました。（×）

小学校(しょうがっこう)を出(で)て、中学校(ちゅうがっこう)に入(はい)りました。（〇）

② ドアを開(あ)けてから、教室(きょうしつ)に入(はい)りました。（×）

ドアを開(あ)けて、教室(きょうしつ)に入(はい)りました。（〇）

③ 宿題(しゅくだい)をしてから、ゲームをしてから、シャワーを浴(あ)びました。（×）

宿題(しゅくだい)をして、ゲームをしてから、シャワーを浴(あ)びました。（〇）

※ てからは 조건이나 준비가 선행되어야 하는 상황에 사용하기 때문에 당연한 수순에 사용하기 어색합니다. 또한 한 문장에 3 가지 이상의 행동을 사용하는 것은 부자연스러울 수 있습니다.

6. 확인하기

① 선물을 사고 나서 친구 생일 파티에 갑니다.

---

② 대학을 졸업하고 나서 스즈키 씨를 만나지 않았어요.

확인하기 정답

① 선물을 사고 나서 친구 생일 파티에 갑니다.

プレゼントを買(か)ってから、友達(ともだち)の誕生日(たんじょうび)パーティーに行(い)きます。

---

② 대학을 졸업하고 나서 스즈키 씨를 만나지 않았어요.

大学(だいがく)を卒業(そつぎょう)してから、鈴木(すずき)さんに会(あ)っていません。

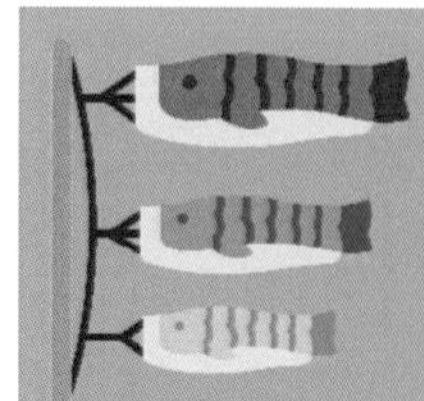

14 강

～と思う ~라고 생각하다

학습목표

'～と思う'를 사용해서 '라고 생각하다' 라는 추측, 의견, 감상을 말하는 표현을 학습합니다.

1. 접속 방법

동사, 형용사, 명사 문장의 보통형 + と思う

2. 단어

明日休みだ(あしたやす) 내일 휴일이다

雨が降る(あめ ふ) 비가 오다

きれいだ 예쁘다, 깨끗하다

歌が上手だ(うた じょうず) 노래를 잘한다

とても高い(たか) 매우 비싸다

いいレストランだ 좋은 레스토랑이다

3. 예문

1) 図書館は明日休みだと思います。

도서관은 내일 쉬는 날이라고 생각해요.

図書館は明日休みだと思います。

2) その 話 は本当じゃないと思います。

그 말은 사실이 아닌 것 같아요.

3) 先生は今 教 室にいると思います。

선생님은 지금 교실에 있을 거예요.

4) もうすぐ雨が降ると思います。

곧 비가 올 거예요.

5) ここに入ってはいけないと思います。

여기 들어가면 안 될 것 같아요.

6) 京都(きょうと)はとてもきれいだと思(おも)います。

교토(京都)는 매우 예쁜 것 같아요.

7) 田中(たなか)さんは 歌(うた)が上手(じょうず)だと思(おも)います。

다나카씨는 노래를 잘하는 것 같아요.

8) ○○の製品(せいひん)はとても高(たか)いと思(おも)います。

○○의 제품은 매우 비쌀 것입니다.

9) あのレストランはとてもいいレストランだと思(おも)います。

저 레스토랑은 아주 좋은 레스토랑이라고 생각해요.

10) 日本語(にほんご)の勉強(べんきょう)はとても面白(おもしろ)いと思(おも)います。

일본어 공부는 매우 재미있다고 생각합니다.

4. 회화 ①

A：この写真(しゃしん)の男性(だんせい)はハンサムですか。

B：はい、ハンサムだと思(おも)います。

C：うん...ハンサムじゃないと思(おも)います。

A: 이 사진의 남성은 잘생겼나요?

B: 네, 잘생겼다고 생각해요.

C: 음… 잘생기지 않은 거 같아요.

회화 ②

A：日本(にほん)の映画(えいが)は面白(おもしろ)いと思(おも)いますか。

B： はい、面白(おもしろ)いと思(おも)います。

C： いいえ、面白(おもしろ)くないと思(おも)います。

A: 일본 영화는 재미있다고 생각하나요?

B: 네, 재미있다고 생각해요.

C: 아니오, 재미있지 않다고 생각해요.

5. 플러스 알파

① ありがたいと思(おも)います。

② ありがたいと思(おも)っています。

※ と思います는 현재의 의견을 말하는 뉘앙스이고, と思っています는 과거부터 지금까지 생각하고 있는 의견을 말하는 뉘앙스입니다.

6. 확인하기

① 여기 들어가면 안 될 것 같아요.

② 저 레스토랑은 아주 좋은 레스토랑이라고 생각해요.

확인하기 정답

① 여기 들어가면 안 될 것 같아요.

ここに入(はい)ってはいけないと思(おも)います。

② 저 레스토랑은 아주 좋은 레스토랑이라고 생각해요.

あのレストランはとてもいいレストランだと思(おも)います。

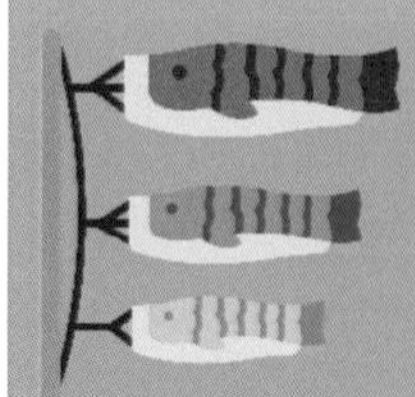

15 강

どうやって ~어떻게

학습목표

‘どうやって’를 사용해서 ‘어떻게’ 라는 방법을 물을 때 사용하는 표현을 학습합니다.

1. 접속 방법

どうやって + 문장

2. 단어

行(い)きます 갑니다　　帰(かえ)ります 돌아갑니다, 돌아옵니다

来(き)ます 옵니다　　します 합니다　　使(つか)います 사용합니다

作(つく)ります 만듭니다　　やります 합니다

3. 예문

1) ジョンさんはここから家(いえ)までどうやって帰(かえ)りますか。
존씨는 여기서 집까지 어떻게 돌아가나요?

ジョンさんはここから家までどうやって帰りますか。

2) マリーさんは学校(がっこう)までどうやって来(き)ますか。

마리씨는 학교까지 어떻게 옵니까?

---

3) ハンさんは毎日会社(まいにちかいしゃ)までどうやって行(い)きますか。

한씨는 매일 회사까지 어떻게 갑니까?

---

4) これはどうやって使(つか)いますか。

이건 어떻게 사용하나요?

---

5) これはどうやって食(た)べますか。

이건 어떻게 먹어요?

---

6) 浴衣(ゆかた)はどうやって着(き)ますか。

유카타는 어떻게 입어요?

---

7) このゲームはどうやってやりますか。

이 게임은 어떻게 하나요?

---

8) アンナさんはどうやって日本語(にほんご)を勉強(べんきょう)していますか。

안나씨는 어떻게 일본어를 공부하고 있습니까?

---

9) この料理(りょうり)はどうやって作(つく)りますか。

이 요리는 어떻게 만드나요?

---

10) 素敵(すてき)なところですね。どうやって見(み)つけましたか。

멋진 곳이네요. 어떻게 찾았어요?.

4. 회화 ①

A：Bさんは毎日会社(まいにちがいしゃ)へ行(い)きますね。

B：はい。

A：Bさんはどうやって会社(かいしゃ)へ行(い)きますか。

B：バスで○○駅(えき)まで行(い)って、電車(でんしゃ)に乗(の)って、会社(かいしゃ)へ行(い)きます。

A: B 씨는 매일 회사에 가나요?

B: 네.

A: B 씨는 어떻게 회사에 가나요?

B: 버스로 ○○까지 가서, 전철을 타고 회사에 가요.

회화 ②

A：Bさんは家(いえ)で日本語(にほんご)を勉強(べんきょう)しますか。

B：はい、勉強(べんきょう)します。

A：Bさんはどうやって日本語(にほんご)を勉強(べんきょう)しますか。

B：日本語(にほんご)の本(ほん)を読(よ)みます。

A: B 씨는 집에서 일본어를 공부하나요?

B: 네, 공부해요.

A: B 씨는 어떻게 일본어를 공부하나요?

B: 일본어 책을 읽어요.

5. 플러스 알파

① どうすればいいですか。/どうやったらいいですか。어떻게 하면 좋을까요?

② どうして 왜, 어째서

6. 확인하기

① 이건 어떻게 사용하나요?

---

② 이 요리는 어떻게 만드나요?

확인하기 정답

① 이건 어떻게 사용하나요?

これはどうやって使(つか)いますか。

② 이 요리는 어떻게 만드나요?

この料理(りょうり)はどうやって作(つく)りますか。

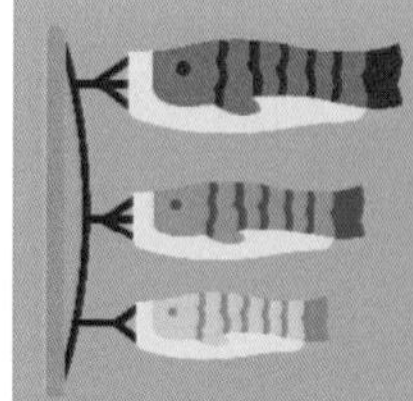

16 강

～から ~이어서, 때문에

학습목표

'문장+から'를 사용해서 '이어서, 때문에' 라는 원인, 이유의 표현을 학습합니다.

1. 접속 방법

문장 + から

2. 단어

ある 있다　　する 하다　　いる 있다

言(い)う 말하다　　疲(つか)れる 피곤하다, 지치다

3. 예문

1) 来週(らいしゅう)は運動会(うんどうかい)がありますから、授業(じゅぎょう)は休(やす)みです。
다음주는 운동회가 있어서 수업은 쉽니다.

来週は運動会がありますから、授業は休みです。

2) 忙(いそが)しいですから、家(いえ)で料理(りょうり)をしません。

바쁘기 때문에 집에서 요리를 하지 않습니다.

3) お金(かね)がありませんから、買(か)うことができませんでした。

돈이 없어서 살 수가 없었어요.

4) 日本語(にほんご)がわかりませんから、テレビを見(み)ません。

일본어를 모르기 때문에 TV 를 보지 않습니다.

5) 時間(じかん)がありませんから、タクシーで行(い)きます。

시간이 없으니까 택시로 갈게요.

6) あとで説明(せつめい)しますから、今(いま)は準備(じゅんび)してください。

나중에 설명드릴테니 지금은 준비해주세요.

7) 仕事(しごと)で疲(つか)れていますから、夜(よる)はすぐに寝(ね)ます。

일 때문에 피곤하기 때문에 밤에는 바로 잡니다.

8) 台風(たいふう)が来(き)ますから、今日(きょう)は家(いえ)から出(で)ないでください。
태풍이 오니까 오늘은 집에서 나가지 마세요.

---

9) 教室(きょうしつ)で先生(せんせい)が待(ま)っていますから、すぐに行(い)ってください。
교실에서 선생님이 기다리고 있으니 바로 가세요.

---

10) ニュースを見(み)ませんでしたから、昼(ひる)から雨(あめ)が降(ふ)ることを知りませんでした。
뉴스를 보지 않았기 때문에 낮부터 비가 온다는 것을 몰랐습니다.

4. 회화 ①

A：のどがかわきましたね。何か飲みますか？

B：はい、飲みます。（財布の中を確認する）あ！お金がありませんから、ジュースを買うことができません。

A：じゃこれで。

B：いいえ、大丈夫です。

A: 목이 마르네요. 뭔가 마실래요?

B: 네, 마실래요. (지갑을 확인한다) 아, 돈이 없어서 주스를 못 사겠네요.

A: 그럼 이걸로

B: 아니에요. 괜찮아요.

회화 ②

A：Bさんはどうして宿題ができませんか？

B：忙しいですから、宿題ができません。

A：それは、だめです。他の人もみんな忙しいです。でも宿題をします。

B：わかりました…

A：宿題は毎日頑張りましょう。

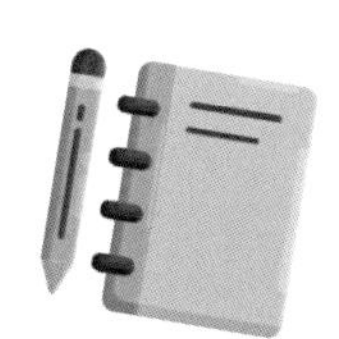

A: B 씨는 왜 숙제를 못하나요?

B: 바쁘기 때문에 숙제를 못해요.

A: 그러면 안 돼요. 다른 사람도 모두 바빠요. 하지만 숙제를 해요.

B: 알겠습니다…

A: 숙제는 매일 열심히 하세요.

5. 플러스 알파

① あとで説明(せつめい)しますから、今(いま)は準備(じゅんび)してください。

② あとで説明(せつめい)しますので、今(いま)は準備(じゅんび)してください。

※ から보다 ので를 사용하는 것이 정중한 느낌을 줄 수 있습니다.

6. 확인하기

① 바쁘기 때문에 집에서 요리를 하지 않습니다.

---

② 교실에서 선생님이 기다리고 있으니 바로 가세요.

확인하기 정답

① 바쁘기 때문에 집에서 요리를 하지 않습니다.

忙(いそが)しいですから、家(いえ)で料理(りょうり)をしません。

---

② 교실에서 선생님이 기다리고 있으니 바로 가세요.

教室(きょうしつ)で先生(せんせい)が待(ま)っていますから、すぐに行(い)ってください。

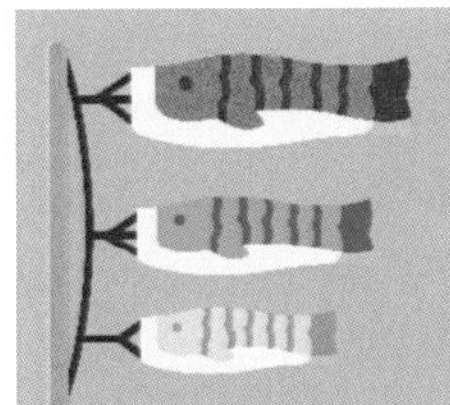

17 강

ぜひ 제발, 꼭, 부디

학습목표

'ぜひ'를 사용해서 '제발, 꼭, 부디' 라는 의뢰나 희망을 강조할 때 사용하는 표현을 학습합니다.

1. 접속 방법

ぜひ + 동사て형 + ください

ぜひ + 동사ます형 + たいです

2. 단어

-동사-

行(い)きます 갑니다　　来(き)ます 옵니다　　会(あ)います 만납니다

食(た)べます 먹습니다　　読(よ)みます 읽습니다

-부사-

今度(こんど) 이번에　　一度(いちど) 한번　　一緒(いっしょ)に 함께

3. 예문

1) 引(ひ)っ越(こ)しました。ぜひ今度遊(こんどあそ)びに来(き)てください。
이사했어요. 다음에 꼭 놀러오세요.

引っ越しました。ぜひ今度遊びに来てください。

---

2) 大阪(おおさか)に行(い)ったら、たこ焼(や)きをぜひ食(た)べてください。
오사카에 가면 타코야키를 꼭 드세요.

---

3) この映画(えいが)はお勧(すす)めです。ぜひ見(み)てください。
이 영화는 추천합니다. 꼭 보세요.

---

4) このマンガ、面白(おもしろ)かったです。ぜひ読(よ)んでください。
이 만화 재미있었어요. 꼭 읽으세요.

---

5) ぜひ 私(わたし) の両親(りょうしん)に会(あ)ってください。
저희 부모님을 꼭 만나주세요.

---

6) ぜひ一緒(いっしょ)に遊(あそ)びに行(い)きたいです。

같이 꼭 놀러가고 싶어요.

---

7) 大阪(おおさか)に行(い)ったら、たこ焼(や)きをぜひ食(た)べたいです。

오사카에 가면 타코야키를 꼭 먹고 싶어요.

---

8) ぜひ 新(あたら)しい映画(えいが)を見(み)たいです。

새로운 영화를 꼭 보고 싶어요.

---

9) ぜひ夏目漱石(なつめそうせき)の『こころ』を日本語(にほんご)で読(よ)みたいです。

꼭 나츠메 소세키의 '마음'을 일본어로 읽고 싶습니다.

---

10) ぜひ一度(いちど)ご両親(りょうしん)に会(あ)いたいです。

꼭 한번 (상대의) 부모님을 만나고 싶어요.

4. 회화 ①

A：日曜日(にちようび)はCさんの誕生日(たんじょうび)ですからパーティーをします。

先生(せんせい)もぜひ来(き)てください。

B：ありがとう。ぜひ行(い)きたいです。パーティーはどこでやるんですか。

A：レストランAです。時間(じかん)は夜(よる)7時(じ)からです。

B：分かりました。楽(たの)しみにしています。

A: 일요일에는 C 씨의 생일이니까 파티를 할 거예요. 선생님도 꼭 오세요.

B: 고마워요. 꼭 가고싶어요. 파티는 어디에서 하나요?

A: 레스토랑 A 에서요. 시간은 저녁 7 시예요.

B: 알겠어요. 기대되네요.

회화 ②

A：明日(あした)は忙(いそが)しいですか？

B：いいえ、忙(いそが)しくありません。

A：それなら、家(いえ)に遊(あそ)びに来(き)ませんか？一緒(いっしょ)にお昼(ひる)ご飯(めし)を作(つく)って食(た)べましょう。

B：ありがとうございます。ぜひ行(い)きたいです。

A：じゃあ、明日(あす)10時(じ)にA駅(えき)で待(ま)ち合(あわ)せましょう。

B：分(わ)かりました。楽(たの)しみにしています。

A: 내일은 바쁜가요?

B: 아니오, 바쁘지 않아요.

A: 그렇다면 집에 놀러 오지 않을래요? 함께 점심을 만들어 먹어요.

B: 고마워요. 꼭 가고 싶어요.

A: 그럼 내일 10 시에 A 역에서 만나도록 해요.

B: 알겠어요. 기대되네요.

5. 플러스 알파

① ぜひ来(き)てください。꼭 와 주세요.

② 必(かなら)ず来(き)てください。 반드시 오세요.

※ 必(かなら)ず는 '반드시, 절대로'의 의미로 의무나 책임을 강조하는 뉘앙스입니다.

6. 확인하기

① 이 영화는 추천합니다. 꼭 보세요.

---

② 꼭 새로운 영화를 보고 싶어요.

확인하기 정답

① 이 영화는 추천합니다. 꼭 보세요.

この映画(えいが)はお勧(すす)めです。ぜひ見(み)てください。

---

② 꼭 새로운 영화를 보고 싶어요.

ぜひ新(あたら)しい映画(えいが)を見(み)たいです。

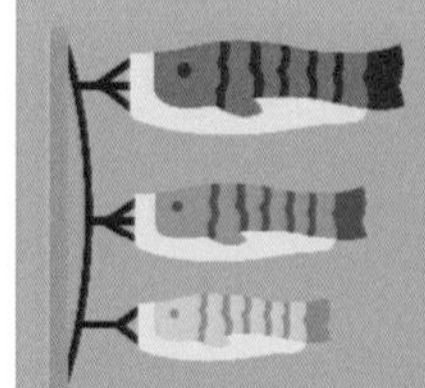

18 강

とても 대단히, 매우

학습목표

'とても'를 사용해서 '대단히, 매우' 라는 정도가 크다는 표현을 학습합니다.

1. 접속 방법

とても + 형용사

2. 단어

ハンサムです 잘생겼습니다

きれいです 예쁩니다, 깨끗합니다

おもしろいです 재미있습니다

高(たか)いです 비쌉니다, 높습니다

便利(べんり)です 편리합니다

3. 예문

1) 東京(とうきょう)はとてもにぎやかです。

도쿄는 매우 번화합니다.

東京はとてもにぎやかです。

---

2) A さんはとてもハンサムです。

A 씨는 매우 잘생겼어요.

---

3) 私(わたし)のうちはとても小(ちい)さいです。

우리집은 매우 작습니다.

---

4) 日本(にほん)の食(た)べ物(もの)はとてもおいしいです。

일본 음식은 매우 맛있습니다.

---

5) 私(わたし)の国(くに)はとても寒(さむ)いです。

나의 나라는 매우 춥습니다.

---

6) この映画(えいが)はとてもおもしろいです。

이 영화는 매우 재미있습니다.

7) この辞書(じしょ)はとても便利(べんり)です。

이 사전은 매우 편리합니다.

8) このパソコンはとても高(たか)いです。

이 컴퓨터는 매우 비쌉니다.

9) ○○はとても有名(ゆうめい)です。

○○은 매우 유명합니다.

10) 日本(にほん)の生活(せいかつ)はとても忙(いそが)しいです。

일본의 생활은 매우 바쁩니다.

4. 회화 ①

A：このりんごは大(おお)きいですか。

B：はい、とても大(おお)きいです。

A：このりんごも大(おお)きいですか。

B：いいえ、あまり大(おお)きくないです。

A: 이 사과는 큰가요?

B: 네, 매우 큽니다.

A: 이 사과도 큰가요?

B: 아니오, 그다지 크지 않습니다.

회화 ②

A：日本(にほん)の生活(せいかつ)はどうですか。

B：とても忙(いそが)しいです。

A：それは大変(たいへん)ですね。

B：でも楽(たの)しいですよ。日本人(にほんじん)のともだちもできて。

A：よかったですね。

A: 일본 생활은 어떤가요?

B: 매우 바빠요.

A: 그거 힘들겠네요.

B: 하지만 즐거요. 일본인 친구도 생겼고요.

A: 잘 됐네요.

5. 부사 연습하기

-とても・よく・たくさん-

① 日本(にほん)の生活(せいかつ)は（　　）楽(たの)しいです。……………とても

② 私(わたし)は英語(えいご)が（　　）わかります。…………………よく

③ 学校(がっこう)の図書館(としょかん)におもしろい本(ほん)が（　　）あります。

………たくさん

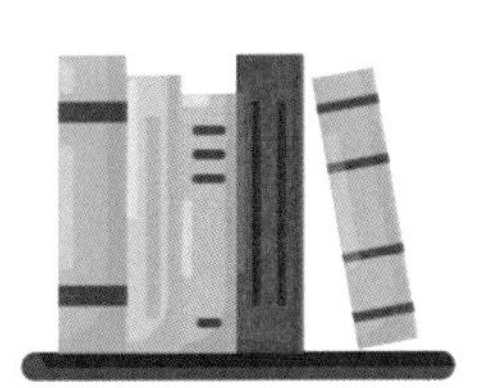

6. 확인하기

① 우리집은 매우 작습니다.

② 이 사전은 매우 편리합니다.

확인하기 정답

① 우리집은 매우 작습니다.

私(わたし)のうちはとても小(ちい)さいです。

② 이 사전은 매우 편리합니다.

この辞書(じしょ)はとても便利(べんり)です。

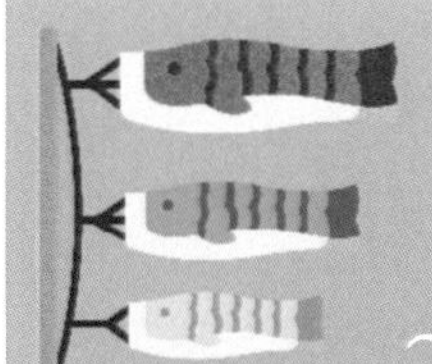

19 강

～たり～たり -하거나 -하거나

학습목표

'동사 + ～たり 동사 + ～たり'을 사용해서 '동작하거나, 동작하거나' 라는 동작을 나열할 때 사용하는 표현을 학습합니다.

1. 접속 방법

동사た형 + り

2. 단어

する 하다　　見(み)る 보다　　聞(き)く 듣다　　行(い)く 가다

食(た)べる 먹다　　ある 있다　　いる 있다

3. 예문

1) 週末(しゅうまつ)は買(か)い物(もの)をしたり、映画(えいが)を見(み)たりしました。

주말에는 쇼핑을 하거나 영화를 보거ㄴ나 했습니다.

週末は買い物をしたり、映画を見たりしました。

2) 暇な時は本を読んだり、音楽を聞いたりします。
한가할 때는 책을 읽거나 음악을 듣습니다.

---

3) 遊園地ではジェットコースターに乗ったり、ショーを見たり
しました。
놀이공원에서는 롤러코스터를 타기도 하고 쇼를 보기도 했습니다.

---

4) 朝は学校の準備をしたり、お弁当を作ったり 忙 しいで
す。
아침에는 학교 준비를 하거나 도시락을 싸거나 바쁩니다.

---

5) 日本語学校では日本語を 勉 強 したり、文化体験に参加し
たりしました。
일본어 학교에서는 일본어를 공부하기도 하고 문화 체험에
참가하기도 했습니다.

---

6) 長生きするために運動したり、野菜を食べたりしています。
장수하기 위해 운동하거나 야채를 먹고 있어요.

---

7) 京都(きょうと)ではお寺(てら)に行(い)ったり、抹茶(まっちゃ)ソフトクリームを食(た)べたりしました。
교토에서는 절에 가기도 하고 녹차 소프트 아이스크림을 먹기도 했습니다.

8) 春休(はるやす)みは友達(ともだち)と、桜(さくら)を見(み)たり、ピクニックをしたりするつもりです。
봄방학에는 친구들과 벚꽃을 보거나 피크닉을 할 생각입니다.

9) 日本(にほん)で母(はは)と一緒(いっしょ)にお寿司(すし)を食(た)べたり、観光(かんこう)したりしたいです。
일본에서 어머니와 함께 초밥을 먹거나 관광을 하고 싶습니다.

10) 小(ち)さい時(とき)は川(かわ)に行(い)ったり、公園(こうえん)に行(い)ったり、よく外(そと)で遊(あそ)びました。
어렸을 때는 강에 가거나 공원에 가거나 자주 밖에서 놀았습니다.

4. 회화 ①

A：Bさん、週末(しゅうまつ)はどうでしたか？

B：忙(いそが)しかったです。週末(しゅうまつ)、郵便局(ゆうびんきょく)に行(い)ったり、銀行(ぎんこう)に行(い)ったりしました。用事(ようじ)がたくさんあったので、少(すこ)し疲(つか)れました。

A：それは大変(たいへん)でしたね。

A: B 씨 주말에는 어땠어요?

B: 바빴어요. 주말에 우체국에 가거나, 은행을 가거나 했어요.

볼일이 많아서 좀 피곤했어요.

A: 그거 참 힘들었겠네요.

회화 ②

A：Bさんは彼女(かのじょ)、いますか？

B：いいえ、いません。でもほしいです。

A：じゃあ、Bさんは彼女(かのじょ)と何(なに)をしたいですか？

B：彼女(かのじょ)とショッピングしたり、遊園地(ゆうえんち)に行(い)ったりしたいです。

A：いいですね。僕(ぼく)は来週(らいしゅう)彼女(かのじょ)とデートです。

B：うらやましい。

A: B 씨는 여자친구 있나요?

B: 아니오, 없어요. 하지만 있었으면 좋겠어요.

A: 그럼 B 씨는 여자친구와 뭘 하고 싶나요?

B: 여자친구와 쇼핑을 하거나, 유원지에 가거나 하고 싶어요.

A: 좋겠네요. 저는 다음주에 여자친구랑 데이트해요.

B: 부러워요.

5. 헷갈리기 쉬운 부분

昨日はレストランでご飯を食べたり、会議があったりしました。(X)

→昨日は東京から社長が来たり、会議があったりしました。(O)

※ たり문장에서 나열하는 행동은 같은 범주안에서 일어나는 일에 대해서 서술하는 것이 자연스럽습니다.

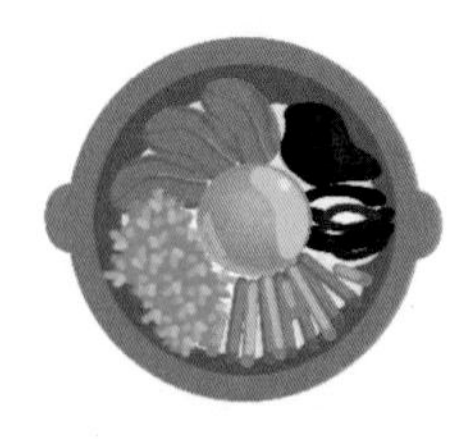

6. 확인하기

① 주말에는 쇼핑을 하거나 영화를 보거나 했습니다.

---

② 어렸을 때는 강에 가거나 공원에 가거나 자주 밖에서 놀았습니다.

확인하기 정답

① 주말에는 쇼핑을 하거나 영화를 보거나 했습니다.

週末(しゅうまつ)は買(か)い物(もの)をしたり、映画(えいが)を見(み)たりしました。

---

② 어렸을 때는 강에 가거나 공원에 가거나 자주 밖에서 놀았습니다.

小(ちい)さい時(とき)は川(かわ)に行(い)ったり、公園(こうえん)に行(い)ったり、よく外(そと)で遊(あそ)びました。

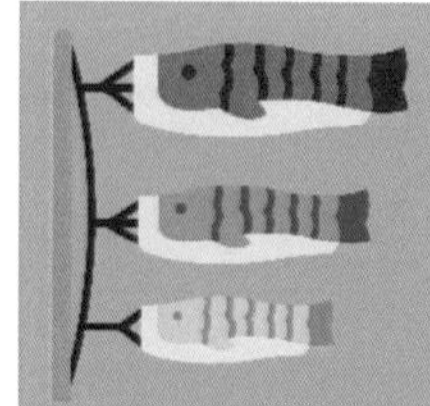

20 강

どんな 어떤

학습목표

'どんな + 명사'를 사용해서 '어떤' 이라는 대상의 특징에 대해 물을 때 사용하는 표현을 학습합니다.

1. 접속 방법

どんな + 명사

2. 단어

国(くに) 나라　　人(ひと) 사람　　食(た)べ物(もの) 음식

家(いえ) 집　　味(あじ) 맛　　色(いろ) 색

3. 예문

1) あなたの国(くに)はどんな国(くに)ですか？
당신의 나라는 어떤 나라입니까?

あなたの国はどんな国ですか？

2) 日本(にほん)はどんな国(くに)だと思(おも)いますか？
일본은 어떤 나라라고 생각하세요?

3) マイケルさんのお兄(にい)さんはどんな人(ひと)ですか？
마이클씨의 형는 어떤 사람입니까?

4) 山田(やまだ)さんはどんな人(ひと)が好(す)きですか？
야마다씨는 어떤 사람을 좋아합니까?

5) おでんとは、どんな食(た)べ物(もの)ですか?
오뎅은 어떤 음식입니까?

6) どんな食(た)べ物(もの)が食(た)べたいですか？
어떤 음식을 먹고 싶으세요?

7) あなたの家(いえ)はどんな家(いえ)ですか？
당신의 집은 어떤 집입니까?

8) このスープはどんな味(あじ)ですか？

이 수프는 어떤 맛입니까?

9) どんなプレゼントが欲(ほ)しいですか？

어떤 선물을 원하세요?

10) どんな色(いろ)が好(す)きですか？

어떤 색을 좋아하세요?

4. 회화 ①

A ： Bさん、ほしいものはありますか？

B：かばんがほしいです。

A：いいですね。大(おお)きいかばんですか？黒(くろ)いかばんですか？どんなかばんがほしいですか？

B：小さいかばんがほしいです。

A: B 씨 갖고 싶은 게 있어요?

B: 가방을 갖고 싶어요.

A: 좋은데요. 큰 가방인가요? 까만 가방인가요? 어떤 가방이 갖고 싶나요?

B: 작은 가방을 갖고 싶어요.

회화 ②

A：Bさんの家(いえ)に行(い)きたいです！

B：いいですよ。家(いえ)には兄(あに)もいます。

A：ええ！Bさんのお兄(にい)さんですか？やさしいですか？こわいですか？Bさんのお兄(にい)さんは、どんな方(かた)ですか？

B：兄(あに)はこわくないです。やさしいですよ。

A：よかった。

A: B 씨의 집에 가고 싶어요.

B: 좋아요. 집에는 형도 있어요.

A: 헉, B 씨의 형님이요? 다정한가요? 무섭나요? B 씨의 형님은 어떤 분이신가요?

B: 형은 무섭지 않아요. 다정해요.

A: 다행이다.

5. 헷갈리기 쉬운

① どんな日本(にほん)ですか？→ 日本(にほん)はどんな国(くに)ですか？

② どんなゆみさんですか？→ ゆみさんはどんな人(ひと)ですか？

※ どんな로 구체적인 대상의 특징에 대해서 물을 때는 대상 자체에는 사용하지 않습니다.

6. 확인하기

① 일본은 어떤 나라라고 생각하세요?

② 어떤 음식을 먹고 싶으세요?

확인하기 정답

① 일본은 어떤 나라라고 생각하세요?

日本(にほん)はどんな国(くに)だと思(おも)いますか？

② 어떤 음식을 먹고 싶으세요?

どんな食(た)べ物(もの)が食(た)べたいですか？

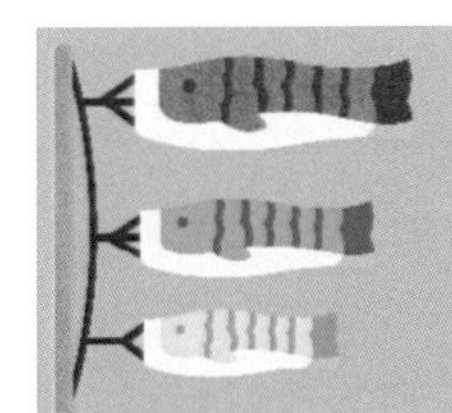

21강

とき ~때

학습목표

'とき'를 사용해서 '~때'라는 상황이나 동작이 일어나는 시점에 대한 표현을 학습합니다.

1. 접속 방법

동사 + とき

이형용사 + とき

나형용사 어간 + なとき

명사 + のとき

2. 단어

行く 가다　　見(み)る 보다　　聞(き)く 듣다

話(はな)す 이야기하다　　遊(あそ)ぶ 놀다　　ある 있다

3. 예문

-동사 기본형＋とき-

1) 学校(がっこう)に行(い)くとき、自転車(じてんしゃ)で行(い)きます。

학교에 갈 때 자전거로 갑니다.

学校に行くとき、自転車で行きます。

---

2) デートするとき、おしゃれをします。

데이트할 때 신경써서 꾸며요.

---

3) 寝(ね)るとき電気(でんき)を消(け)します。

잘 때 불을 꺼요.

---

4) コーヒーを飲(の)むとき、ミルクと砂糖(さとう)を入(い)れます。

커피를 마실 때 우유와 설탕을 넣습니다.

---

5) 家(いえ)を出(で)るとき、鍵(かぎ)をかけます。

집을 나갈 때 열쇠를 잠급니다.

---

6) 外(そと)に出(で)るとき、マスクをします。

밖에 나갈 때 마스크를 써요.

7) 学校(がっこう)に行(い)くとき、雨(あめ)が降(ふ)っていました。

학교에 갈 때 비가 내리고 있었어요.

8) 留学(りゅうがく)するとき、嬉(うれ)しい気持(きも)ちでいっぱいでした。

유학갈 때 기쁨으로 가득했습니다.

9) チケットを予約(よやく)するとき、電話番号(でんわばんごう)が必要(ひつよう)でした。

티켓을 예매할 때 전화번호가 필요했어요.

10) 会議室(かいぎしつ)に入(はい)るとき、ノックをします

회의실에 들어갈 때 노크를 합니다.

-동사た형 ＋とき-

1) 図書館に読みたい本がなかったとき、本屋さんに行きます。

도서관에 읽고 싶은 책이 없을 때 서점에 갑니다.

---

2) 忘れ物をしたとき、家に取りに帰ります。

물건을 깜빡했을 때 집에 가지러 갑니다.

---

3) わからない漢字があったときは、すぐに調べましょう。

모르는 한자가 있을 때는 바로 찾아보세요.

---

4) 疲れたときは、休んでください。

피곤할 때는 쉬세요.

---

5) コンビニで新商品が出たとき、私は必ず買います。

편의점에서 신상품이 나왔을 때 저는 꼭 사요.

6) 頭(あたま)が痛(いた)かったとき、学校(がっこう)を休(やす)みました。

머리가 아팠을 때 학교를 쉬었습니다.

---

7) 母(はは)と会(あ)ったとき、国(くに)に帰(かえ)りたくなりました。

어머니와 만났을 때 고향(고국)에 돌아가고 싶어졌어요.

---

8) 日本(にほん)で初(はじ)めてバスに乗(の)ったとき、料金(りょうきん)の払(はら)い方(かた)がわかりませんでした。

일본에서 처음 버스를 탔을 때 요금 지불 방법을 몰랐습니다.

---

9) 日本(にほん)のラーメンを食(た)べたとき、とてもおいしくて感動(かんどう)しました。

일본라면을 먹었을 때 너무 맛있어서 감동했습니다.

---

10) 家(いえ)の近(ちか)くを散歩(さんぽ)したとき、おしゃれなカフェを見(み)つけました。

집 근처를 산책했을 때 세련된 카페를 발견했어요.

-형용사 ＋とき-

1) 暇(ひま)なとき、いつもゲームをします。

한가할 때 항상 게임을 합니다.

---

2) 天気(てんき)がいいとき、散歩(さんぽ)をします。

날씨가 좋을 때 산책을 합니다.

---

3) 気分(きぶん)が悪(わる)いときは、先生(せんせい)に言(い)ってください。

속이 좋을 않을 때는 선생님께 말해주세요.

---

4) 暑(あつ)いとき、エアコンを入(い)れます。

더울 때 에어컨을 켭니다.

-명사 ＋とき-

1) 19歳(さい)のとき、日本(にほん)に来(き)ました。

19 살 때 일본에 왔습니다.

2) 雨(あめ)のとき、運動会(うんどうかい)は中止(ちゅうし)です。

우천시 운동회는 중지됩니다.

3) 引越(ひっこ)しのとき、いらない服(ふく)を全(すべ)て捨(す)てました。

이사할 때 필요 없는 옷을 다 버렸어요.

4) 子供(こども)のとき、よく公園(こうえん)で遊(あそ)びました。

어렸을 때 공원에서 자주 놀았습니다.

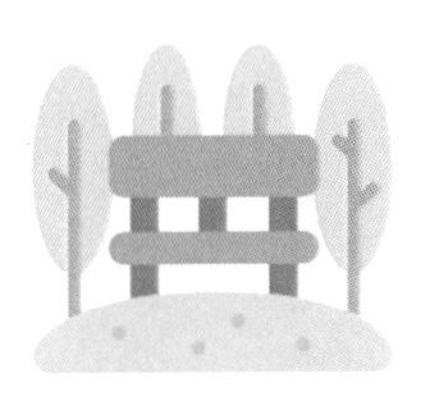

4. 회화 ①

A：Bさんは結婚(けっこん)していますね。

B：はい、日本人(にほんじん)の夫(おっと)がいます。

A：いつ結婚(けっこん)しましたか？

B：3年前(ねんまえ)です。24歳(さい)のとき、結婚(けっこん)しました。

A: B 씨는 결혼했나요?

B: 네, 일본인 남편이 있어요.

A: 언제 결혼했나요?

B: 3 년 전에요. 24 살 때 결혼했어요.

회화 ②

A：Bさんは、何(なに)で学校(がっこう)に来(き)ますか？

B：自転車(じてんしゃ)で来(き)ます。

A：雨(あめ)の日(ひ)も自転車(じてんしゃ)ですか？

B：雨(あめ)のときは、バスで来(き)ます。

A: B 씨는 뭘 타고 학교에 오나요?

B: 자전거로 와요.

A: 비오는 날도 자전거로요?

B: 비올 때는 버스로 와요.

5. 플러스 알파

① 部屋(へや)に入(はい)ったとき、電気(でんき)をつけます。

- 방에 들어가는 것이 먼저 -

部屋(へや)に入(はい)るとき、電気(でんき)をつけます。

- 불을 켜는 것이 먼저 –

② 旅行(りょこう)に行(い)ったとき、ホテルを予約(よやく)しました。

- 여행을 가는 것이 먼저 -

旅行(りょこう)に行(い)くとき、ホテルを予約(よやく)しました。

- 호텔을 예약하는 것이 먼저 -

6. 확인하기

① 학교에 갈 때 비가 내리고 있었어요.

---

② 집 근처를 산책했을 때 세련된 카페를 발견했어요.

확인하기 정답

① 학교에 갈 때 비가 내리고 있었어요.

学校(がっこう)に行(い)くとき、雨(あめ)が降(ふ)っていました。

---

② 집 근처를 산책했을 때 세련된 카페를 발견했어요.

家(いえ)の近(ちか)くを散歩(さんぽ)したとき、おしゃれなカフェを見(み)つけました。

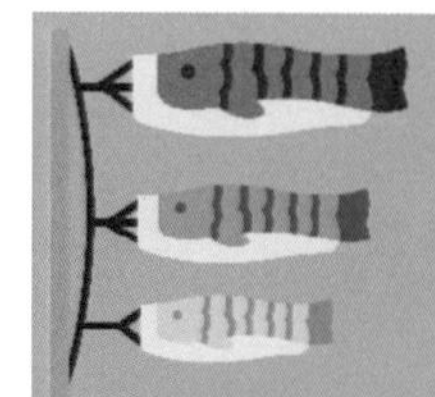

22 강

でしょう ~이지요, 잖아요

학습목표

‘でしょう’을 사용해서 ‘~이지요, 잖아요’ 라는 상대의 이야기를 확인하거나 동의를 구할 때 사용하는 표현을 학습합니다.

1. 접속 방법

동사 보통형 + でしょう

이형용사 + でしょう

나형용사 어간 + でしょう

명사 + でしょう

2. 단어

- 동사 -

行(い)きます 갑니다　　します 합니다　　あります 있습니다

- 형용사 -

かわいい 귀엽다　　おもしろい 재미있다　　いい 좋다

きれいだ 예쁘다, 깨끗하다　　好(す)きだ 좋아하다

大変(たいへん)だ 큰일이다

3. 예문

1) 田中(たなか)さんは寿司(すし)が好(す)きでしょう？

다나카씨는 초밥을 좋아하죠?

田中さんは寿司が好きでしょう？

2) りんごがテーブルの上(うえ)にあるでしょう？

사과가 테이블 위에 있죠?

3) 早(はや)く寝(ね)なさい。明日(あした)は学校(がっこう)でしょう？

빨리 자요. 내일은 학교 가는 날이죠?

4) このアニメ、おもしろいでしょう？

이 애니메이션 재밌죠?

5) 漢字(かんじ)を覚(おぼ)えるのは大変(たいへん)でしょう？

한자 외우기 힘들죠?

6) 明日(あした)は山田(やまだ)さんの誕生日(たんじょうび)パーティがあります。キムさんも行(い)くでしょう？

내일은 야마다씨의 생일파티가 있습니다. 김씨도 가겠죠?

---

7) この花(はな)、とてもきれいでしょう？

이 꽃 너무 예쁘죠?

---

8) 飛行機(ひこうき)に８時間(じかん)も乗(の)ったんですね。疲(つか)れたでしょう？

비행기를 8 시간이나 탔군요. 피곤하죠?

---

9) 明日(あした)はテストだね。今日(きょう)は家(いえ)で勉強(べんきょう)するでしょう？

내일은 시험이네. 오늘은 집에서 공부하지?

---

10) このワンピース、新(あたら)しく買(か)ったの。いいでしょう？

이 원피스 새로 샀어. 괜찮지?

---

4. 회화

A：見(み)てください。これは何(なん)ですか？

B：子猫(こねこ)です。

A：かわいいでしょう？

B：はい。かわいいですね。

A: 보세요. 이게 뭔가요?

B: 아기 고양이에요.

A: 귀엽죠?

B: 네, 귀엽네요.

5. 플러스 알파

① だろう 친한 사이에 사용하는 반말 표현

② でしょ 라고 줄여서 사용할 수도 있음

③ 윗사람에게 사용하면 실례가 될 수 있음

6. 확인하기

① 사과가 테이블 위에 있죠?

② 비행기를 8 시간이나 탔군요. 피곤하죠?

확인하기 정답

① 사과가 테이블 위에 있죠?

りんごがテーブルの上(うえ)にあるでしょう？

② 비행기를 8 시간이나 탔군요. 피곤하죠?

飛行機(ひこうき)に８時間(じかん)も乗(の)ったんですね。疲(つか)れたでしょう？

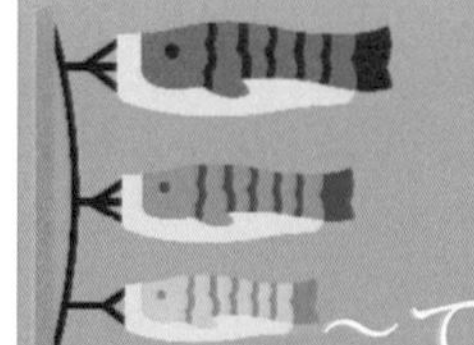

23 강

～てはいけません ~하면 안 됩니다

학습목표

'동사 + てはいけません'을 사용해서 '하면 안 됩니다' 라는 금지의 표현을 학습합니다.

1. 접속 방법

동사て형 + はいけません

2. 단어

飲(の)みます 마십니다　　撮(と)ります 촬영합니다

停(と)めます 세웁니다, 멈춥니다　　吸(す)います (담배를) 피웁니다

遊(あそ)びます 놉니다　　入(はい)ります 들어갑니다

3. 예문

1) お酒(さけ)を飲(の)んではいけません。

술을 마시면 안 됩니다.

お酒を飲んではいけません。

2) 写真(しゃしん)を撮(と)ってはいけません。

사진을 찍으면 안 됩니다.

3) ここに 車(くるま) を停(と)めてはいけません。

여기에 차를 세우면 안 돼요.

4) たばこを吸(す)ってはいけません。

담배를 피워서는 안 됩니다.

5) ここで遊(あそ)んではいけません。

여기서 놀면 안 돼요.

6) ここに入(はい)ってはいけません。

여기 들어가면 안 돼요.

---

7) 学校(がっこう)で寝(ね)てはいけません。

학교에서 자면 안 돼요.

---

8) 教室(きょうしつ)でサッカーをしてはいけません。

교실에서 축구를 하면 안 됩니다.

---

9) 弁当(べんとう)を食(た)べてはいけません。

도시락을 먹으면 안 됩니다.

---

10) テストですから、友達(ともだち)と話(はな)してはいけません。

시험이기 때문에 친구와 이야기하면 안 돼요.

4. 회화 ①

A：みなさん昼(ひる)ごはんを食(た)べましたか。

B：はい、食(た)べました。

A：そうですか。私(わたし)は食(た)べませんでした。今(いま)、パンを食(た)べてもいいですか。

B：いいえ、だめです。授業(じゅぎょう)ですからパンを食(た)べてはいけません。

A: 여러분 점심밥을 먹었나요?

B: 네, 먹었어요.

A: 그래요? 나는 안 먹었어요. 지금 빵을 먹어도 될까요?

B: 아니오, 안 돼요. 수업중이기 때문에 빵을 먹으면 안 됩니다.

회화 ②

A：日本(にほん)は「電車(でんしゃ)で電話(でんわ)をしてはいけません。」みなさんの国(くに)で「～してはいけません」は何(なん)ですか。

B：電車(でんしゃ)でお茶(ちゃ)を飲(の)んではいけません。

C：公園(こうえん)でお酒(さけ)を飲(の)んではいけません。

D：道路(どうろ)にたばこを捨(す)ててはいけません。

A: 일본은 '전철에서 전화를 하면 안 됩니다.' 여러분의 나라에서 '~하면 안 됩니다'는 무엇인가요?

B: 전철에서 차를 마시면 안 됩니다.

C: 공원에서 술을 마시면 안 됩니다.

D: 도로에서 담배를 버리면 안 됩니다.

5. 플러스 알파

① 病院(びょういん)でたばこを吸(す)ってはいけません。

규칙에 의한 금지

② 私(わたし)の部屋(へや)でたばこを吸(す)わないでください。

의뢰나 지시에 의한 금지

6. 확인하기

① 사진을 찍으면 안 됩니다.

② 시험이기 때문에 친구와 이야기하면 안 돼요.

확인하기 정답

① 사진을 찍으면 안 됩니다.

写真(しゃしん)を撮(と)ってはいけません。

② 시험이기 때문에 친구와 이야기하면 안 돼요.

テストですから、友達(ともだち)と話(はな)してはいけません。

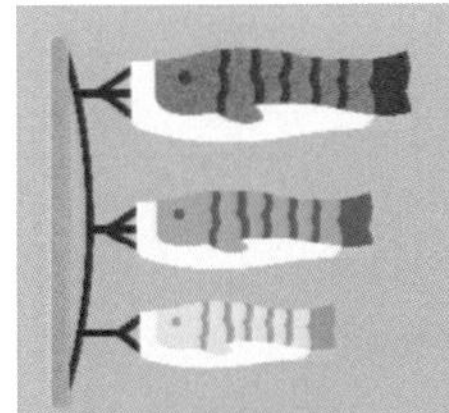

24 강

～方 ~하는 방법

학습목표

'동사 + 方'를 사용해서 '동작하는 방법' 이라는 표현을 학습합니다.

1. 접속 방법

동사ます형 + 方

2. 단어

書(か)きます 쓥니다, 적습니다　　読(よ)みます 읽습니다

行(い)きます 갑니다　　作(つく)ります 만듭니다

やります 합니다　　使(つか)います 사용합니다

3. 예문

1) 銀行(ぎんこう)までの行(い)き方(かた)を教(おし)えてください。

은행까지 가는 방법을 가르쳐 주세요.

銀行までの行き方を教えてください。

2) この漢字(かんじ)の読(よ)み方(かた)は何(なん)ですか。

이 한자의 읽는 법은 무엇입니까?

3) この料理(りょうり)の作(つく)り方(かた)を知(し)っていますか。

이 요리 만드는 법을 아세요?

4) すみません、書(か)き方(かた)がわからないんですが…。

죄송합니다, 쓰는 방법을 모르겠습니다만….

5) 仕事(しごと)のやり方(かた)を教(おし)えます。

일하는 방법을 알려드릴게요.

6) 注文のしかたがわからないんですが…。

주문 방법을 모르겠습니다만….

7) インターネットで、行き方を調べます。

인터넷으로 가는 방법을 알아봅니다.

8) すみません、お名前の読み方を教えてください。

죄송합니다, 성함 읽는 법을 가르쳐 주세요.

9) 洗濯機の使い方がわかりません。

세탁기 사용법을 모르겠어요.

10) そのやり方はあまりよくないです。

그 방식은 별로 좋지 않아요.

4. 회화 ①

A：どうぞ、食(た)べてください。

B：いただきます。

A：どうですか。

B：おいしいです。どうやって作(つく)りますか。

A：作(つく)り方(かた)ですか。簡単(かんたん)ですよ。あとで教(おし)えますね。

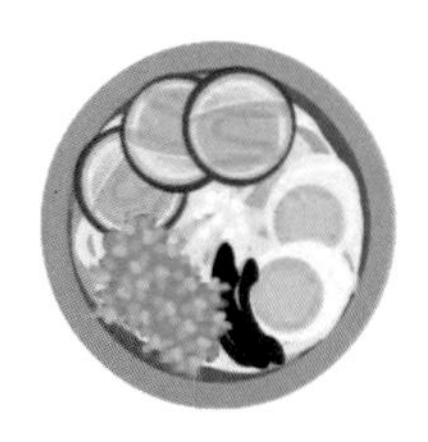

A: 자, 어서 드세요.

B: 잘 먹겠습니다.

A: 어떤가요?

B: 맛있어요. 어떻게 만들었어요?

A: 만드는 방법이요? 간단해요. 나중에 알려줄게요.

회화 ②

A：Bさん、この近くに安いスーパーがありますか。

B：スーパーですか。この近くだったら、ABCスーパーが安いですよ。行き方を教えましょうか。

A：ありがとうございます。お願いします。

A: B 씨 이 근처에 저렴한 슈퍼마켓이 있나요?

B: 슈퍼마켓이요? 이 근처라면 ABC 슈퍼마켓이 저렴해요. 가는 방법을 알려줄까요?

A: 고마워요. 부탁해요.

5. 연습하기

① 書(か)きます→書(か)き方(かた)

② します→しかた

③ 作(つく)ります→作(つく)り方(かた)

④ 読(よ)みます→読(よ)み方(かた)

6. 확인하기

① 이 한자의 읽는 법은 무엇입니까?

---

② 인터넷으로 가는 방법을 알아봅니다.

확인하기 정답

① 이 한자의 읽는 법은 무엇입니까?

この漢字(かんじ)の読(よ)み方(かた)は何(なん)ですか。

---

② 인터넷으로 가는 방법을 알아봅니다.

インターネットで、行(い)き方(がた)を調(しら)べます。

유리센 일본어 학습 자료 블로그

https://blog.naver.com/yurisen